D1216851

AIR FRYER AND KETO SERIES FOR BEGINNERS

THIS BOOK INCLUDES :

"RECETAS DE AIR FRYER + DIETA KETO PARA MUJERES MAYORES DE 50"

By Marisa Smith

Recetas de Air Fryer

DIETA KETO PARA MUJERES MAYORES DE 50

Contenido

Recetas de Air Fryer

Cómo preparar recetas de comidas fáciles, rápidas y saludables

By Marisa Smith

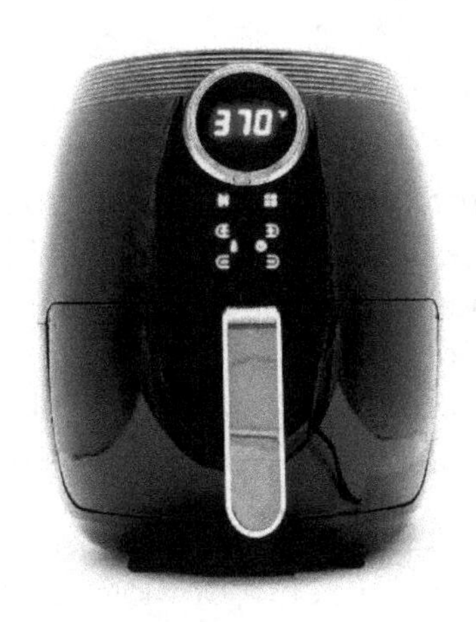

© Copyright 2021 – Todos los derechos reservados.

Este documento está orientado a brindar información exacta y confiable con respecto al tema tratado. La publicación se vende con la idea de que el editor no está obligado a prestar servicios contables, autorizados oficialmente o de otro modo calificados. Si es necesario un consejo, legal o profesional, se debe solicitar a una persona con práctica en la profesión.

- De una declaración de principios que fue aceptada y aprobada igualmente por un Comité de la Asociación de Abogados de Estados Unidos y un Comité de Editores y Asociaciones.

De ninguna manera es legal reproducir, duplicar o transmitir cualquier parte de este documento, ya sea en medios electrónicos o en formato impreso. La grabación de esta publicación está estrictamente prohibida y no se permite el almacenamiento de este documento a menos que se cuente con el permiso por escrito del editor. Reservados todos los derechos.

La información proporcionada en este documento se declara veraz y coherente, en el sentido de que cualquier responsabilidad, en términos de falta de atención o de otro tipo, por cualquier uso o abuso de las políticas, procesos o instrucciones contenidas en el mismo, es responsabilidad exclusiva y absoluta del lector receptor. Bajo ninguna circunstancia se imputará al editor ninguna responsabilidad legal o culpa por cualquier reparación, daño o pérdida monetaria debido a la información contenida en este documento, ya sea directa o indirectamente.

Los respectivos autores poseen todos los derechos de autor que no pertenecen al editor.

La información contenida en este documento se ofrece únicamente con fines informativos y es universal como tal. La presentación de la información es sin contrato ni ningún tipo de garantía.

Las marcas comerciales son utilizadas sin ningún consentimiento y la publicación de la marca comercial se realiza sin el permiso o el respaldo del propietario de dicha marca comercial. Las marcas comerciales y las marcas de este libro se incluyen únicamente con fines aclaratorios y los propietarios son dueños de ellas, no están afiliados a este documento.

Introducción

La Air Fryer no es más que un invento innovador y un dispositivo fácil de usar en el proceso de fritura. Esencialmente es la freidora que puede utilizar aire caliente para freír, hornear o asar alimentos y no requiere aplicar ningún tipo de aceite a los alimentos. Esto asegura que la comida que usted fríe se mantenga libre de aceite y calorías.

La Air Fryer le permite cocinar, asar, asar a la parrilla y cocinar al vapor de forma más saludable, fácil y eficaz. Como hacen muchos otros en todo el mundo, esperamos que disfrute usando con la Air Fryer, y que las recetas que contiene este libro lo inspiren a cocinar comidas saludables y bien balanceadas para usted y su familia.

1. Mini tazas de quiche de verduras

Tiempo total: 30 minutos

Tiempo de preparación: 10 minutos

Tiempo de cocción: 20 minutos

Rinde: 12 porciones

Ingredientes:

- 8 huevos
- 3/4 taza de queso cheddar, rallado
- 10 onzas de espinaca congelada, picada
- 1/4 taza de cebolla picada
- 1/4 taza de champiñones, cortados en cubitos
- 1/4 taza de pimiento morrón, cortado en cubitos

Instrucciones:

1. Rocíe un molde 12 tazas para muffins con aceite en aerosol y reserve.
2. Inserte la rejilla en la posición 6. Seleccione hornear, ajuste la temperatura a 375° F, temporizador de 20 minutos. Pulsa inicio para precalentar el horno.

3. Agregue todos los ingredientes en el tazón para mezclar y bata hasta que se combinen.
4. Vierta la mezcla de huevo en el molde para muffins preparado y hornee por 20 minutos.
5. Sirva y disfrute.

2. Muffins de limón y arándanos

Tiempo total: 35 minutos

Tiempo de preparación: 10 minutos

Tiempo de cocción: 25 minutos

Rinde: 12 porciones

Ingredientes:

- 2 huevos
- 1 cucharadita de Levadura en polvo
- 5 gotas de *Stevia*
- 1/4 taza de mantequilla derretida
- 1 taza de crema batida espesa
- 2 tazas de harina de almendras
- 1/4 cucharadita de limón rallado
- 1/2 cucharadita de extracto de limón
- 1/2 taza de arándanos frescos

Instrucciones:

1. Rocíe un molde 12 tazas para muffins con aceite en aerosol y déjelo a un lado.
2. Inserte rejilla en la posición 6. Elija hornear, ajuste la temperatura a 350° F, temporizador de 25 minutos. Presione inicio para precalentar el horno.
3. Bata los huevos en un plato para mezclar.
4. Aplique los ingredientes restantes a los huevos y combine hasta que estén bien mezclados.
5. En el molde para muffins preparado, agregue la harina y hornee por 25 minutos.
6. Sirva y disfrute.

3. Donas desayuno horneadas

Tiempo total: 30 minutos

Tiempo de preparación: 10 minutos

Tiempo de cocción: 20 minutos

Rinde: 6 porciones

Ingredientes:

- 4 huevos
- 1/3 taza de leche de almendras
- 1 cucharada de *Stevia* liquida
- 3 cucharadas polvo de cacao
- 1/4 taza de aceite de coco
- 1/3 taza de harina de coco
- 1/2 cucharadita de bicarbonato de sodio
- 1/2 cucharadita de Levadura en polvo
- 1/2 cucharadita de café instantáneo

Instrucciones:

1. Rocíe la bandeja para donas con aceite en aerosol y déjela a un lado.
2. Inserte la rejilla en la posición 6. Seleccione hornear, ajuste la temperatura a 350° F, temporizador durante 20 minutos. Pulsa inicio para precalentar el horno.
3. Agregue todos los ingredientes en el tazón para mezclar y combine hasta que estén bien mezclados.
4. Vierta la masa en la bandeja para donas y hornee por 20 minutos.
5. Sirva y disfrute.

4. Muffins de arándanos y almendras

Tiempo total: 25 minutos

Tiempo de preparación: 10 minutos

Tiempo de cocción: 15 minutos

Rinde: 8 porciones

Ingredientes:

- 1 huevo
- 5 gotas de *Stevia* líquida
- 1/4 cucharadita de extracto de vainilla
- 3/4 taza de crema espesa
- 1/4 taza de mantequilla
- 1/2 taza de arándanos frescos
- 1/2 cucharadita de bicarbonato de sodio
- 1/4 cucharadita de Levadura en polvo
- 2 1/2 taza de harina de almendras
- 1/2 cucharadita de sal

Instrucciones:

1. Rocíe un molde 8 tazas para muffins con aceite en aerosol y déjelo a un lado.
2. Inserte la rejilla en la posición 6. Seleccione hornear, fije la temperatura a 375° F, temporizador de 15 minutos. Pulsa inicio para precalentar el horno.
3. En un tazón, mezcle la harina de almendras, sal y levadura.
4. En un tazón grande, mezcle el huevo, mantequilla, vainilla, *Stevia*, bicarbonato de sodio y la crema espesa.

5. Agregue la mezcla de harina de almendras a la mezcla de huevo y revuelva para combinar.
6. Vierta la masa en el molde para muffins y hornee por 15 minutos.
7. Sirva y disfrute.

5. Frittata de brócoli feta

Tiempo total: 30 minutos

Tiempo de preparación: 10 minutos

Tiempo de cocción: 20 minutos

Rinde: 4 porciones

Ingredientes:

- 10 huevos
- 2 onzas de queso feta, desmenuzado
- 2 tazas de floretes de brócoli, picados
- 1 tomate, cortado en cubitos
- 1 cucharadita de pimienta negra
- 1 cucharadita de sal

Instrucciones:

1. Engrase una bandeja para hornear con mantequilla y reserve.
2. Inserte la rejilla en la posición 6. Seleccione hornear, fije la temperatura a 390° F, temporizador durante 20 minutos. Pulsa inicio para precalentar el horno.
3. En un bol, bata los huevos, pimienta y sal. Agregue las verduras y revuelva bien.
4. Vierta la mezcla de huevo en la bandeja para hornear y espolvoree con queso desmenuzado.
5. Hornee por 20 minutos.
6. Sirva y disfrute.

6. Quiche cremoso de espinacas

Tiempo total: 45 minutos

Tiempo de preparación: 10 minutos

Tiempo de cocción: 35 minutos

Rinde: 6 porciones

Ingredientes:

- 10 huevos
- 1 taza de crema espesa
- 1 cucharada de manteca
- 1/4 taza de cebollín frescos, picados
- 1 taza de queso cheddar, rallado
- 1/4 cucharadita de pimienta
- 1/4 cucharadita de sal
- 1 taza de espinaca fresca
- 1 taza de leche de coco

Instrucciones:

1. Rocíe un molde para hornear de 9*13 pulgadas con aceite en aerosol y reserve.
2. Inserte la rejilla en la posición 6. Seleccione hornear, ajuste la temperatura a 350° F, el temporizador durante 35 minutos. Pulsa inicio para precalentar el horno.
3. En un bol, bata los huevos, nata, leche de coco, pimienta y sal.
4. Vierta la mezcla de huevo en la bandeja para hornear y espolvoree con espinacas, cebollín y queso.
5. Hornea por 35 minutos.
6. Sirva y disfrute.

7. Pimientos rellenos de quinoa y pavo

Tiempo total: 50 minutos

Tiempo de preparación: 15 minutos

Tiempo de cocción: 35 minutos

Rinde: 6 porciones

Ingredientes:

- 3 pimientos rojos grandes
- 2 cucharadita de Romero fresco picado
- 2 cucharadas de Perejil fresco picado
- 3 cucharadas Nueces picadas, tostadas
- 2 cucharadas de Aceite de oliva extra virgen
- ½ taza de caldo de pollo
- ½ libra de salchicha de pavo ahumado completamente cocida, cortada en cubitos
- ½ cucharadita de Sal
- 2 tazas de agua
- 1 taza de quinua cruda

Instrucciones:

1. Coloque una cacerola grande a fuego alto y agregue sal, agua y quinua. Deje que hierva.
2. Reduzca el fuego a fuego lento después de hervir, cubra y cocine hasta que se consuma toda el agua durante unos 15 minutos.
3. Apague el fuego y déjelo reposar otros 5 minutos. Destape la quinua.
4. A lo largo, corte los pimientos por la mitad y quite las membranas y semillas. Agregue los pimientos a otra olla con agua hirviendo, cocine por 5 minutos, enjuague y deseche el agua.
5. Engrase una bandeja para hornear de 13x9 y precaliente el horno a 350°.

6. Coloque el pimiento hirviendo en la bandeja para hornear preparada, llene uniformemente la mezcla de quinua y métala en el horno.
7. Ase durante 15 minutos.

8. Ensalada de pollo al curry, garbanzos y raito

Tiempo de preparación: 10 minutos

Tiempo de cocción: 30 minutos

Rinde: 5 porciones

Ingredientes:

- 1 taza de uvas rojas, cortadas por la mitad
- 3-4 tazas de pollo rostizado, carne desmenuzada
- 2 cucharadas de cilantro
- 1 taza de yogur natural
- 2 tomates medianos, picados
- 1 cucharadita de comino molido
- 1 cucharada de polvo de curry
- 2 cucharadas de aceite vegetal
- 1 cucharada de jengibre pelado y picado
- 1 cucharada de ajo molido
- 1 cebolla mediana picada

Ingredientes para los garbanzos:

- ¼ de cucharadita de pimentón
- ½ cucharadita de cúrcuma
- 1 cucharadita de comino molido
- 1 lata de garbanzos de 19 onzas, enjuagados, escurridos y secos
- 1 cucharada de aceite vegetal

Ingredientes para la cobertura y proporción:

- ½ taza de almendras rebanadas y tostadas
- 2 cucharadas de menta picada
- 2 tazas de pepino, pelado, sin corazón y picado
- 1 taza de yogur natural

Instrucciones:

1. Para hacer la ensalada de pollo, a fuego medio-bajo, coloca una cacerola antiadherente mediana y caliente el aceite.
2. Saltee el jengibre, ajo y cebolla durante 5 minutos o hasta que se ablanden mientras revuelve de vez en cuando.

3. Agregue 1 ½ cucharadita de sal, comino y curry. Saltee durante dos minutos.
4. Aumente el fuego a medio-alto y agregue los tomates. Revolviendo con frecuencia, cocine por 5 minutos.
5. Vierta la salsa en un tazón, mezcle el pollo, cilantro y yogur. Revuelva para combinar y deje reposar para que se enfríe a temperatura ambiente.
6. Para hacer los garbanzos, en una sartén antiadherente, caliente el aceite durante 3 minutos.
7. Agregue los garbanzos y cocine por un minuto mientras revuelve continuamente.
8. Agregue ¼ de cucharadita de sal, cayena, cúrcuma y comino. Revuelva para mezclar bien y cocine por dos minutos o hasta que la salsa se seque.
9. Transfiera a un bol y déjelo enfriar a temperatura ambiente.
10. Para hacer la proporción, mezcle ½ cucharadita de sal, menta, pepino y yogur. Revuelva bien para combinar y disolver la sal.
11. Para armar, en cuatro frascos o tazones con tapa de 16 onzas, coloque en capas lo siguiente: pollo al curry, proporción, garbanzos y decore con almendras.
12. Puede preparar esta receta con un día de anticipación y refrigerar durante 6 horas antes de servir.

9. Vinagreta balsámica sobre pollo asado

Tiempo total: 1 hora 10 minutos

Tiempo de preparación: 10 minutos

Tiempo de cocción: 60 minutos

Rinde: 8 porciones

Ingredientes:

- 1 cucharada de perejil fresco picado
- 1 cucharadita de limón rallado
- ½ taza de caldo de pollo bajo en sal
- Un pollo entero de 4 libras, cortado en trozos
- Pimienta negra recién molida
- Sal
- 2 cucharadas de Aceite de oliva
- 2 dientes de ajo picados
- 2 cucharadas de jugo de limón fresco
- 2 cucharadas de mostaza de Dijon
- ¼ taza de vinagre balsámico

Instrucciones:

1. Bata la pimienta, sal, aceite de oliva, ajo, jugo de limón, mostaza y vinagre en una taza pequeña.
2. Combine la mezcla anterior y las partes de pollo en una bolsa con cierre hermético. Refrigere durante al menos 2 horas o un día entero y deje marinar. Asegúrese de que la bolsa esté boca abajo.
3. Engrase una bandeja para hornear y precaliente el horno a 400° F.
4. Coloque los trozos de pollo marinados en la bandeja para hornear y póngalos en el horno.
5. Ase el pollo durante una hora o hasta que esté completamente horneado. Cubra con papel aluminio si el pollo está dorado y aún no esté completamente horneado, y termine de cocinar.
6. Saque el pollo del horno y páselo a una bandeja para servir.
7. Adorne con perejil y, antes de comer, rocíe con jugo de limón.

10. Pasta de pollo a la parmesana

Tiempo total: 30 minutos

Tiempo de preparación: 10 minutos

Tiempo de cocción: 20 minutos

Rinde: 1 porción

Ingredientes:

- ½ taza de espaguetis integrales cocidos
- 1 onza de queso mozzarella reducido en grasa, rallado
- ¼ taza de salsa marinara preparada
- 2 cucharadas de pan rallado seco sazonado
- 4 onzas de pechuga de pollo sin piel
- 1 cucharada de aceite de oliva

Instrucciones:

1. A fuego medio-alto, coloque una sartén refractaria y caliente el aceite.
2. Fríe el pollo en la sartén durante 3 a 5 minutos por cada lado o hasta que esté bien cocido.
3. Vierta la salsa marinara, revuelva y continúe cocinando por 3 minutos.
4. Apague el fuego, agregue mozzarella y pan rallado por encima.
5. Póngalo en el asador precalentado a temperatura alta y ase durante 10 minutos o hasta que el pan rallado se dore y la mozzarella se derrita.
6. Retirar del asador, sirva y disfrute.

11. Pollo y frijoles blancos

Tiempo total: 1 hora 20 minutos

Tiempo de preparación: 10 minutos

Tiempo de cocción: 70 minutos

Rinde: 6 porciones

Ingredientes:

- 2 cucharadas de cilantro fresco picado
- 2 tazas de queso Jack de Monterey rallado bajo en grasa
- 3 tazas de agua
- 1/8 cucharadita de pimienta de cayena
- 2 cucharadita de polvo puro de chile
- 2 cucharadita de comino molido
- 1 lata de 4 onzas chiles verdes para picar
- 1 taza de granos de maíz
- 2 latas de 15 onzas de frijoles blancos, escurridos y enjuagados
- 2 dientes de ajo
- 1 cebolla mediana, cortada en cubitos
- 2 cucharadas de aceite de oliva extra virgen
- 1 libra de pechugas de pollo, deshuesadas y sin piel

Instrucciones:

1. Corte las pechugas de pollo en trozos de 1/2 pulgada y sazone con sal y pimienta.
2. Coloque una sartén antiadherente grande y caliente el aceite a fuego alto.
3. Sofría los trozos de pollo durante 3 a 4 minutos, o hasta que se doren finamente.
4. Reduzca el fuego a bajo y agregue la cebolla y el ajo.
5. Cocine de 5 a 6 minutos o hasta que esté traslúcido con la cebolla.
6. Agregue el azúcar, pimientos, chiles, maíz y frijoles. Deje que hierva.
7. Hierva lentamente durante una hora, sin tapar.
8. Adorne con una pizca de cilantro y una cucharada de queso para servir.

12. Pollo Pad Thai

Tiempo total: 20 minutos

Tiempo de preparación: 10 minutos

Tiempo de cocción: 10 minutos

Rinde: 6 porciones

Ingredientes:

- 2 zanahorias medianas, cortadas en juliana
- 1 paquete de 12 onzas de ensalada de brócoli
- 5 cebollas verdes picadas
- 5 cucharadas cilantro fresco picado
- ½ cucharada de vinagre de coco
- 4 cucharadas jugo de limón fresco
- 1 cucharada de aminas de coco
- 3 cucharadas salsa de pescado
- 5 dientes de ajo machacados
- 2 cucharadas de aceite de coco extra virgen
- 1 ½ libra de carne de pollo orgánica, cortada

Instrucciones:

1. A presión media, caliente la sartén y aplique el aceite de coco.
2. Durante un minuto, sofría el ajo y la cebolla.
3. Agregue el pollo, luego cocine a fuego lento durante 5 minutos.
4. Coloca las aminas de coco, salsa de pescado, vinagre y jugo de limón. Suba el fuego y hierva hasta que el pollo esté bien cocido.
5. Agrega las zanahorias y la ensalada de brócoli. Revuelva constantemente hasta que las verduras estén blandas.
6. Adorne con cebollas verdes y cilantro.

13. Muslos de pollo con calabaza

Tiempo total: 40 minutos

Tiempo de preparación: 10 minutos

Tiempo de cocción: 30 minutos

Rinde: 6 porciones

Ingredientes:

- 3 tazas de calabaza, en cubos
- 6 muslos de pollo deshuesados
- Una ramita de salvia fresca, picada
- 1 cucharada de aceite de oliva
- Sal y pimienta al gusto

Instrucciones:

1. Precaliente el horno a 425° F.
2. Saltee la calabaza en una sartén y sazone con sal y pimienta al gusto. Retire de la sartén después de que la calabaza esté cocida y reservar.
3. Usando la misma sartén, agregue aceite y cocine los muslos de pollo por cada lado durante 10 minutos.
4. Condimente con sal y pimienta y devuelva la calabaza a la mezcla.
5. Saque la sartén del fuego y cocínela durante 15 minutos en el horno.
6. ¡Sirva y disfrute!

14. Arroz cajún y pollo

Tiempo total: 30 minutos

Tiempo de preparación: 10 minutos

Tiempo de cocción: 20 minutos

Rinde: 6 porciones

Ingredientes:

- 1 cucharada de aceite
- 1 cebolla cortada en cubitos
- 3 dientes de ajo picados
- 1 libra de pechugas de pollo en rodajas
- 1 cucharada de condimento cajún
- 1 cucharada de pasta de tomate
- 3 tazas de caldo de pollo
- 1 ½ tazas de arroz integral, enjuagado
- 1 pimiento picado

Instrucciones:

1. Coloque una olla profunda a fuego medio-alto y caliente durante 2 minutos.
2. Agrega aceite y caliente por un minuto.
3. Sofría la cebolla y el ajo hasta que estén fragantes.
4. Agregue las pechugas de pollo y sazone con condimento cajún.
5. Continúe cocinando durante 3 minutos.
6. Agregue la pasta de tomate, el arroz y el caldo de pollo. Deje hervir mientras revuelve para disolver la pasta de tomate.

7. Una vez que hierva, baje el fuego a fuego lento, cubra y cocine hasta que el líquido se absorba por completo alrededor de 15 minutos.
8. Apague el fuego y deje reposar otros 5 minutos antes de servir.

15. Sopa de pollo para amantes de las verduras

Tiempo total: 30 minutos

Tiempo de preparación: 10 minutos

Tiempo de cocción: 20 minutos

Rinde: 4 porciones

Ingredientes:

- 1 ½ tazas de espinacas tiernas
- 2 cucharadas de orzo (pasta diminuta)
- ¼ taza de vino blanco seco
- 1 14 onzas de caldo de pollo bajo en sodio
- 2 tomates pera, picados
- 1/8 cucharadita de sal
- ½ cucharadita de condimento italiano
- 1 chalota grande, picada
- 1 calabacín pequeño, cortado en cubitos
- Filetes de pollo de 8 onzas
- 1 cucharada de aceite de oliva extra virgen

Instrucciones:

1. En una cacerola grande, caliente el aceite a fuego medio y agregue el pollo. Revuelva ocasionalmente durante 8 minutos hasta que se dore. Transfiera en un plato. Dejar de lado.
2. En la misma cacerola, agregue el calabacín, condimento italiano, chalota y sal y, a menudo, revuelva hasta que las verduras se ablanden alrededor de 4 minutos.
3. Agregue los tomates, el vino, el caldo y el orzo y aumente el fuego a alto para que la mezcla hierva. Reduzca el fuego y cocine a fuego lento.
4. Agregue el pollo cocido y las espinacas al final.
5. Servir caliente.

16. Galletas de ajo con queso y harina de coco

Tiempo total: 20 minutos

Tiempo de preparación: 10 minutos

Tiempo de cocción: 10 minutos

Rinde: 4 porciones

Ingredientes:

- 1/3 taza de harina de coco
- 1/2 cucharadita de levadura en polvo
- 1/2 cucharadita de ajo en polvo
- 1 huevo grande
- 1/4 taza de mantequilla sin sal, derretida y dividida
- 1/2 taza de queso cheddar picante rallado
- 1 cebollín, en rodajas

Instrucciones:

1. En un plato amplio, combine la harina de coco, levadura y ajo en polvo.
2. Agregue el huevo, la mitad de la mantequilla derretida, cebollín y queso cheddar. En una bandeja para hornear circular de 6 pulgadas, vierta la mezcla. Colóquelo dentro del marco de la Air Fryer.
3. Fije la temperatura a 320 grados F y cambie el temporizador a 12 minutos.
4. Retire de la sartén y deje enfriar completamente para comer. Cortar en cuatro pedazos y verter la mantequilla restante.

17. Chips de rábano

Tiempo total: 20 minutos

Tiempo de preparación: 10 minutos

Tiempo de cocción: 10 minutos

Rinde: 4 porciones

Ingredientes:

- 2 tazas de agua
- 1 libra de rábanos
- 1/4 cucharadita de cebolla en polvo
- 1/4 cucharadita de pimentón
- 1/2 cucharadita de ajo en polvo
- 2 cucharadas de aceite de coco derretido

Instrucciones:

1. Coloque agua en una cacerola mediana y hierva en una estufa.
2. Corte la parte superior e inferior de cada rábano, luego corte en rodajas finas cada rábano con una mandolina. También puede usar la cuchilla en el procesador de alimentos para este punto.
3. Coloque las rodajas de rábano durante 5 minutos en agua hirviendo o hasta que estén transparentes. Para retener humedad adicional, colóquelo en un paño de cocina limpio.
4. Coloque los chips de rábano con los ingredientes restantes en un tazón grande y sazone hasta que estén completamente cubiertos de grasa. Coloque el rábano dentro de la canasta de la freidora.
5. Configure el temporizador durante 5 minutos y gírelo a 320° F.
6. Dos o tres veces, agite la canasta durante el proceso de cocción.

18. Pan plano

Tiempo total: 20 minutos

Tiempo de preparación: 10 minutos

Tiempo de cocción: 10 minutos

Rinde: 4 porciones

Ingredientes:

- 1 taza de queso mozzarella rallado
- 1/4 taza de harina de almendras blanqueada finamente molida
- 1 onza de grasa entera: queso crema, ablandado

Instrucciones:

1. En un tazón grande apto para microondas, derrita la mozzarella durante 30 segundos. Agregue la harina de almendras hasta que esté suave, luego aplique el queso crema. Continúe mezclando hasta que salga la masa, amasando suavemente si es necesario con las manos mojadas.
2. Divida la masa en dos partes y estírela hasta que tenga un grosor de 1/4" entre dos papeles pergamino. Para colocar la bandeja de la Air Fryer, corte otro pedazo de pergamino.
3. En el pergamino y en la freidora, coloque una rebanada de pan plano y trabaje en dos lotes si corresponde.
4. Fije la temperatura a 320 grados F y programe el temporizador a siete minutos.
5. Dar la vuelta a la mitad del tiempo de cocción el pan plano. Servir caliente.

19. Aguacate frito

Tiempo total: 20 minutos

Tiempo de preparación: 10 minutos

Tiempo de cocción: 10 minutos

Rinde: 4 porciones

Ingredientes:

- 2 aguacates medianos
- 1 onza de chicharrones de cerdo finamente molidos

Instrucciones:

1. Corta cada aguacate por la mitad. Corte suavemente la cáscara, luego parta la pulpa en rodajas de 1/4 de pulgada de grosor.
2. En una taza mediana, coloque los chicharrones y presione cada rebanada de aguacate sobre los chicharrones para cubrirlos por completo.
3. Fije la temperatura a 350° F y cinco minutos para el temporizador.
4. Sírvalo caliente.

20. Chips estilo pita

Tiempo total: 20 minutos

Tiempo de preparación: 10 minutos

Tiempo de cocción: 10 minutos

Rinde: 4 porciones

Ingredientes:

- 1 taza de queso mozzarella rallado
- ½ onza de chicharrones finamente molidos
- ¼ de taza de harina de almendras blanqueada finamente molida
- 1 huevo grande

Instrucciones:

1. En una bandeja grande para microondas, coloca la mozzarella durante 30 segundos o hasta que se derrita. Agregue los ingredientes restantes y revuelva hasta obtener un acabado suave; la masa se moldea fácilmente en una bola. Si la masa está demasiada dura, póngala en el microondas durante 15 segundos.
2. Extienda la masa entre dos hojas de pergamino en un rectángulo grande y luego use un cuchillo para cortar chips en forma de triángulo. Colóquelas en la cesta de su Air Fryer.
3. Fije la temperatura a 350° F y cinco minutos para el temporizador.
4. Las tornaran de color dorado y duras cuando estén listas. Cuando se enfríen, estarán aún más firmes.

21. Berenjena asada

Tiempo total: 20 minutos

Tiempo de preparación: 10 minutos

Tiempo de cocción: 10 minutos

Rinde: 4 porciones

Ingredientes:

- 1 berenjena grande
- 2 cucharadas de aceite de oliva
- 1/4 cucharadita de sal
- 1/2 cucharadita de ajo en polvo

Instrucciones:

1. Divida la parte superior e inferior de la berenjena. Corte la berenjena en tiras finas y gruesas.
2. Cepille las rodajas con aceite de oliva y espolvoree con sal y ajo en polvo. Coloque los trozos en una bandeja.
3. Fije la temperatura a 390° F durante 15 minutos.
4. ¡Sirva y disfrute!

22. Pan focaccia con parmesano y hierbas

Tiempo total: 20 minutos

Tiempo de preparación: 10 minutos

Tiempo de cocción: 10 minutos

Rinde: 4 porciones

Ingredientes:

- 1 taza de queso mozzarella rallado
- 1 onza de queso crema con toda la grasa
- 1 taza de harina de almendras blanqueada finamente molida
- 1/4 taza de linaza dorada molida
- 1/4 taza de queso parmesano rallado
- 1/2 cucharadita de bicarbonato de sodio
- 2 huevos grandes
- 1/2 cucharadita de ajo en polvo
- 1/4 cucharadita de albahaca seca
- 1/4 cucharadita de romero seco
- 2 cucharadas de mantequilla con sal, derretida y dividida

Instrucciones:

1. Coloque la mozzarella, el queso crema y la harina de almendras durante 1 minuto en un tazón grande apto para microondas y cocine en el microondas. Se agrega parmesano, linaza y bicarbonato de sodio, y se revuelve hasta que quede una bola suave. Si la mezcla se enfría rápido, será imposible combinarla. Cuando sea necesario, vuelva al microondas para calentarla durante 10-15 segundos.
2. Para mezclarla al máximo, puede usar sus manos. Siga friendo y luego agréguelas a la masa.
3. Mezcle la albahaca y el romero con la masa de ajo en polvo y amase. En un molde redondo para hornear, engrase una cucharada de mantequilla derretida. Del mismo modo, ponga la masa en la sartén. Coloque la sartén en la canasta de la Air Fryer.
4. Fije la temperatura a 400 grados F y durante 10 minutos.
5. Si el pan comienza a ponerse demasiado negro, cúbralo con papel de aluminio después de 7 minutos.

6. Retire y enfrié durante al menos 30 minutos, luego combine y coma con la mantequilla restante.

23. Frituras caseras rápidas y fáciles

Tiempo total: 20 minutos

Tiempo de preparación: 10 minutos

Tiempo de cocción: 10 minutos

Rinde: 4 porciones

Ingredientes:

- 1 jícama mediana, pelada
- 1 cucharada de aceite de coco derretido
- 1/4 cucharadita de pimienta negra molida
- ½ cucharadita de sal rosa del Himalaya
- 1 pimiento verde mediano, sin semillas y cortado en cubitos
- 1/2 cebolla blanca mediana, pelada y cortada en cubitos

Instrucciones:

1. Divida la jícama en cubos. Póngala en un tazón grande y mezcle hasta que esté sazonado con aceite de coco. Espolvoree con sal y pimienta. Coloque el pimiento y la cebolla en un frasco en la freidora.
2. Ajuste la temperatura a 400° F y configure el temporizador a 10 minutos. Agítelo tres veces antes de cocinarlo. En los lados, la jícama quedará suave y oscura y se servirá de inmediato.

24. Jícama frita

Tiempo total: 20 minutos

Tiempo de preparación: 10 minutos

Tiempo de cocción: 10 minutos

Rinde: 4 porciones

Ingredientes:

- 1 jícama pequeña, pelada
- 3/4 cucharadita de chile en polvo
- 1/4 cucharadita de ajo en polvo
- 1/4 cucharadita de cebolla en polvo
- 1/4 cucharadita de pimienta negra molida

Instrucciones:

1. Divida la jícama en cubos. Póngala en un tazón grande y mezcle hasta que esté sazonado con aceite de coco. Espolvoree con sal y pimienta. Coloque el pimiento y la cebolla en un frasco en la freidora.
2. Ajuste la temperatura a 400° F y configure el temporizador a 10 minutos.
3. Agítelo tres veces antes de cocinarlo. En los lados, la jícama quedará suave y oscura y se servirá de inmediato.

25. Tomates verdes fritos

Tiempo total: 20 minutos

Tiempo de preparación: 10 minutos

Tiempo de cocción: 10 minutos

Rinde: 4 porciones

Ingredientes:

- 2 tomates verdes medianos
- 1 huevo grande
- 1/4 taza de harina de almendras blanqueada finamente molida
- 1/3 taza de queso parmesano rallado

Instrucciones:

1. Corte los tomates en rodajas de 1⁄2 pulgada de grosor. En un tazón mediano, bata el huevo. En un tazón grande, combine la harina de almendras y el parmesano.
2. Sumerja cada rodaja de tomate en el huevo, luego rebose en la mezcla de harina de almendras y coloque las rodajas en la canasta de la Air Fryer.
3. Fije la temperatura a 400 grados F y programe un temporizador a siete minutos.
4. A la mitad de la cocción, voltee las rodajas. Servir inmediatamente.

26. Pepinillos fritos

Tiempo total: 20 minutos

Tiempo de preparación: 10 minutos

Tiempo de cocción: 10 minutos

Rinde: 4 porciones

Ingredientes:

- 1 cucharada de harina de coco
- 1/3 taza de harina de almendras blanqueada finamente molida
- 1 cucharadita de chile en polvo
- 1/4 cucharadita de ajo en polvo
- 1 huevo grande
- 1 taza de pepinillos en rodajas

Instrucciones:

1. En un plato mediano, mezcle harina de coco, harina de almendras, chile en polvo y ajo en polvo.
2. Bata el huevo en una taza pequeña.
3. Dé palmaditas con una toalla de papel en cada pepinillo y sumérjalo en el huevo. Luego rebose en la mezcla con harina. Ponga los pepinillos en el recipiente para Air Fryer.
4. Cambie a 400° F y configure el temporizador en 5 minutos.
5. Voltee los pepinillos a la mitad de la duración de la preparación.

27. Cerdo y patatas

Tiempo de preparación: 5 minutos

Tiempo de cocción: 25 minutos

Porciones: 4

Ingredientes:

- 2 tazas de patatas con crema, enjuagadas y secas
- 1 lomo de cerdo (1 libra), cortado en cubos de 1 pulgada
- 1 cebolla, pimiento rojo, 2 dientes de ajo
- ½ cucharadita de orégano seco
- 2 cucharadas de caldo de pollo bajo en sodio

Instrucciones:

1. Para cubrir, mezcle las patatas y el aceite de oliva.
2. Mueva las patatas a la canasta de la freidora. Hornee durante 15 minutos.
3. Combine la carne, repollo, tomate, pimiento rojo, ajo y orégano.
4. Rocíe el caldo de pollo en él. Coloque el recipiente en la canasta de la freidora. Durante la cocción, ase y agite la canasta una vez antes de que la carne de cerdo alcance la temperatura de 145° F y las papas estén tiernas. Sirva inmediatamente.

28. Brochetas de cerdo y frutas

Tiempo de preparación: 15 minutos

Tiempo de cocción: de 9 a 12 minutos

Porciones: 4

Ingredientes:

- 1/3 taza de mermelada de albaricoque
- 2 cucharadas de jugo de limón recién exprimido
- ½ cucharadita de estragón seco
- 1 (1 libra) de lomo de cerdo, cortado en cubos de 1 pulgada
- 4 ciruelas, albaricoques pequeños, sin hueso y cortados por la mitad

Instrucciones:

1. Combine la mermelada, jugo de limón, estragón y aceite de oliva.
2. Para cubrir, agregue el cerdo y revuelva. Déjelo a un lado a temperatura ambiente durante 10 minutos.
3. Ensarte la carne, las ciruelas y los albaricoques en 4 brochetas de metal que quepan en la freidora, alternándolas. Frote con una combinación de cualquier marinada sobrante.
4. En la freidora, ase las brochetas durante 9 a 12 minutos. Sirva inmediatamente.

29. Brochetas de bistec y verduras

Tiempo de preparación: 15 minutos

Tiempo de cocción: 7 minutos

Porciones: 4

Ingredientes:

- 2 cucharadas de vinagre balsámico
- ½ cucharadita de mejorana seca
- ¾ libra de bistec redondo, cortado en trozos de 1 pulgada
- 1 taza de pimiento rojo, tomates cherry
- 16 champiñones

Instrucciones:

1. Mezcle el vinagre balsámico, aceite de oliva, pimienta negra y mejorana.
2. Para cubrir, agregue el bistec y revuelva. Déjelo reposar a temperatura ambiente durante 9 minutos.
3. Ensarte la carne, el pimiento rojo, los champiñones y los tomates en 8 brochetas de bambú o de metal que entren en la freidora, girándolos.
4. Ase durante 6 minutos en la freidora. Sirva inmediatamente.

30. Bistec a la parrilla picante

Tiempo de preparación: 7 minutos

Tiempo de cocción: 9 minutos

Porciones: 4

Ingredientes:

- 2 cucharadas de salsa baja en sodio
- 1 cucharada de chile chipotle, vinagre de sidra de manzana
- 1 cucharadita de comino molido
- 1/8 cucharadita de Hojuelas de pimienta roja
- ¾ libras de filete de punta de solomillo ligeramente machacado hasta aproximadamente 1/3 de pulgada de grosor

Instrucciones:

1. Agregue chile chipotle, vinagre de sidra, comino, pimienta negra y hojuelas de pimiento rojo. Frote esta mezcla en cada trozo de carne por ambos lados. Déjelo reposar a temperatura ambiente durante 15 minutos.
2. En la freidora, ase los bistecs, dos a la vez, durante 6 a 9 minutos.
3. Para mantener el calor, coloque los filetes en un plato limpio y cúbralos con papel de aluminio. Repita para los filetes que queden.
4. Picar finamente los filetes y servir.

31. Verduras griegas

Tiempo de preparación: 10 minutos

Tiempo de cocción: 19 minutos

Porciones: 4

Ingredientes:

- ½ libra 96 por ciento de carne molida magra
- 2 tomates medianos, diente de ajo
- 2 tazas de espinacas tiernas frescas
- 1/3 taza de caldo de res bajo en sodio
- 2 cucharadas de queso feta bajo en sodio desmenuzado, jugo de limón

Instrucciones:

1. Desmenuce la carne en una sartén de metal de 6 por 2 pulgadas. Cocine de 3 a 7 minutos en la freidora, revolviendo una vez durante la cocción hasta que se dore. Escurra un poco de grasa o líquido.
2. A la sartén, agregue los tomates, 1 cebolla y el ajo. Fría al aire durante 4 a 8 minutos más.
3. Agregue espinacas, jugo de limón y caldo de res. Fría al aire durante 2 o 4 minutos más.
4. Coloque el queso feta encima y sirva de inmediato.

32. Albóndigas light con hierbas

Tiempo de preparación: 10 minutos

Tiempo de cocción: 17 minutos

Porciones: 24

Ingredientes:

- 2 dientes de ajo picados
- 1 rebanada de pan integral bajo en sodio, desmenuzado
- 3 cucharadas de leche al 1 por ciento
- 1 cucharadita de mejorana seca, albahaca
- 1 libra de carne molida magra al 96 por ciento

Instrucciones:

1. Combine la cebolla, ajo y aceite de oliva en una sartén de 6 por 2 pulgadas. Durante 2 a 4 minutos, fría al aire.
2. Ponga las verduras en un tazón mediano y combine con el pan rallado, leche, albahaca y mejorana. Mezclar bien.
3. Agregue un poco de carne molida. Mezcle suavemente, pero a fondo con las manos hasta que se combine totalmente. Forme aproximadamente 24 albóndigas (1 pulgada) con la mezcla de carne.
4. Hornee las albóndigas, en lotes, durante 12 a 17 minutos en la canasta de la freidora. Sirva inmediatamente.

33. Arroz integral y pimientos rellenos

Tiempo de preparación: 10 minutos

Tiempo de cocción: 16 minutos

Porciones: 4

Ingredientes:

- ½ taza de zanahoria rallada
- 1 taza de arroz integral cocido
- 1 taza de rosbif cocido y bajo en sodio, picado
- 4 pimientos, 2 tomates bife medianos, cebolla
- 1 cucharadita de mejorana seca

Instrucciones:

1. Quite las puntas de los tallos de los pimientos.
2. Combine el pimiento picado, cebolla, zanahoria y aceite de oliva en una sartén de 6 por 2 pulgadas. Cocine durante 4 minutos o hasta que las verduras estén suaves y crujientes.
3. A un tazón mediano, vierta la verdura. Agregue las cebollas, el arroz integral, la mejorana y el rosbif. Revuelva para mezclar.
4. Rellene los pimientos con la combinación de verduras. Coloque los pimientos en la canasta de la freidora. Hornee por 14 minutos o hasta que los pimientos estén tiernos y el relleno esté dulce.
5. Sirva instantáneamente.

34. Carne de res y brócoli

Tiempo de preparación: 10 minutos

Tiempo de cocción: 18 minutos

Porciones: 4

Ingredientes:

- ½ taza de caldo de res bajo en sodio
- 1 cucharadita de salsa de soja baja en sodio
- 12 onzas de filete de solomillo cortado en cubos de 1 pulgada
- 1 taza de champiñones cremini en rodajas, cebolla, jengibre
- 2½ tazas de floretes de brócoli

Instrucciones:

1. Mezcle 2 cucharadas de maicena, caldo de res y salsa de soja.
2. Coloque la carne y cúbrala con la mezcla. Dejar reposar a temperatura ambiente durante 5 minutos.
3. Mueva la carne de res de la mezcla a un tazón pequeño de metal con una espumadera.
4. Una la carne con el brócoli, repollo, champiñones y jengibre. Coloque el tazón en la freidora y cocine durante 12 a 15 minutos o hasta que la carne alcance al menos 145° F y las verduras estén blandas.
5. Agregue el caldo reservado y cocine a fuego lento durante otros 2 a 3 minutos o hasta que esté listo para hervir.
6. Si es necesario, sirva inmediatamente sobre arroz integral cocido caliente.

35. Salteado de carne de vacuno y fruta

Tiempo de preparación: 15 minutos

Tiempo de cocción: 11 minutos

Porciones: 4

Ingredientes:

- 12 onzas de filete de punta de solomillo, en rodajas finas
- 1 cucharada de jugo de lima, maicena
- 1 taza de gajos de mandarina enlatados, trozos de piña
- 1 cucharadita de salsa de soja baja en sodio
- 2 cebollín, partes blancas y verdes, en rodajas

Instrucciones:

1. Mezclar el jugo de lima con el filete. Déjelo a un lado.
2. Combine bien 3 cucharadas de jugo de mandarina, 3 cucharadas de jugo de piña, salsa de soja y maicena.
3. Seque la carne y colóquela en una taza de metal de tamaño mediano, reservando el jugo. Agregue el jugo reservado a la mezcla del jugo de mandarina y piña. Y dejar de lado.
4. Añada al filete aceite de oliva y cebollín. Coloque el recipiente de metal en la freidora y caliente durante 3 a 4 minutos, agite la canasta una vez durante la cocción, hasta que el filete esté casi cocido.
5. Agregue la mezcla de jugos. Cocine de 3 a 7 minutos más, o hasta que la salsa burbujee y la carne esté suave y alcance al menos 145° F.
6. Si es necesario, revuelva y sirva sobre arroz integral frito tibio.

36. Filete de mantequilla de ajo perfecto

Tiempo de preparación: 20 minutos

Tiempo de cocción: 12 minutos

Porciones: 4

Ingredientes:

- 2 filetes de costilla

Mantequilla de ajo:

- ½ taza de mantequilla ablandada
- 2 cucharadas de perejil fresco picado
- 2 dientes de ajo picados
- 1 cucharadita de salsa inglesa

Instrucciones:

1. Agregue cada uno de los ingredientes para preparar la mantequilla de ajo.
2. Coloque la carne sobre papel pergamino. Enróllelo y póngalo en el refrigerador.
3. Simplemente deje que los filetes permanezcan a temperatura ambiente durante 20 minutos.
4. Unte un poco de grasa, sal y pimienta.
5. Precaliente hasta 400° F (200° C) su freidora de aire.
6. 12 minutos para cocinar, girando a la mitad del proceso de cocción.
7. Cubra los filetes con la mantequilla de ajo y deje reposar durante 5 minutos.
8. ¡Sirva y disfrute!

37. Medallones de cerdo crujiente

Tiempo de preparación: 20 minutos

Tiempo de cocción: 5 minutos

Porciones: 2

Ingredientes:

- 1 lomo de cerdo, 330 g, cortado en 6 o 7 lonjas de 4 cm

Marinada asiática:

- 1 cucharadita de salsa tamari reducida en sal
- Aceite de oliva
- 1 jugo de clementina
- 1 pizca de pimienta de cayena
- 2 dientes de ajo, machacados

Instrucciones:

1. Primero prepare la marinada. Combine todos los ingredientes en un plato. Sale los medallones suavemente, aplique pimienta y espolvoree con 1 cucharadita de pimentón. Colóquelos en la marinada y deles la vuelta muchas veces para empaparlos por completo. Cubrir con film transparente y marinar a temperatura ambiente durante 1 hora.
2. Mezcle 1/3 de taza de pan rallado, 1/2 de ralladura de naranja y 2 gramos de queso parmesano en un plato hondo para preparar la cobertura.
3. Retirar los medallones de la marinada y secarlos sobre papel absorbente una vez transcurrido el tiempo. Rellenar con mostaza y pasar a la bandeja para hornear. Cepille ligeramente con aceite.
4. Caliente la freidora a 350° grados F. Coloque los medallones en la canasta de la freidora. Cocine durante cinco minutos, revuelva y luego vuelva a colocarlo en la freidora por otro minuto. Sirva inmediatamente.

38. Albóndigas de parmesano

Tiempo de preparación: 10 minutos

Tiempo de cocción: 20 minutos

Porciones: 6

Ingredientes:

- 2 libras de carne molida
- 2 huevos
- 1 taza de queso ricotta
- 1/4 taza de queso parmesano rallado
- 1/2 taza de pan rallado panko
- 1/4 taza de albahaca picada
- 1/4 taza de perejil picado
- 1 cucharada de orégano fresco picado
- 2 cucharadita de sal kosher
- 1 cucharadita de hinojo molido
- 1/2 cucharadita de hojuelas de pimiento rojo
- 32 onzas de salsa de espagueti, para servir

Instrucciones:

1. En un tazón, mezcle cuidadosamente la carne con todos los demás ingredientes de las albóndigas.
2. Cree pequeñas albóndigas con esta combinación, luego colóquelas en la canasta de la freidora.
3. Haga clic en el botón de control de la Air Fryer y elija el modo de horneado.
4. Establezca el tiempo de cocción en 20 minutos.
5. Ahora presione el botón de temperatura para ajustar la temperatura a 400 grados F.
6. Cuando esté precalentado, ponga la canasta de albóndigas en el horno y cierre la tapa.
7. Cuando estén horneadas, voltee las albóndigas a la mitad y luego comience a cocinar.
8. Por encima, vierte la salsa para espaguetis.
9. Sírvalo caliente.

39. Pinchos de ternera tricolor

Tiempo de preparación: 10 minutos

Tiempo de cocción: 25 minutos

Porciones: 4

Ingredientes:

- 3 dientes de ajo picados
- 4 cucharadas de aceite de colza
- 1 taza de requesón, en cubos
- 16 tomates cherry
- 2 cucharadas de vinagre de sidra
- Tomillo grande
- 1 ¼ de libra de carne de res deshuesada, cortada en cubitos

Instrucciones:

1. Mezcle la carne con tomillo, aceite, vinagre y ajo.
2. Marine la carne de tomillo durante 2 horas en un recipiente cerrado en el refrigerador.
3. Ensarte la carne, el queso y los tomates marinados en las brochetas.
4. Coloque estas brochetas en la canasta de la freidora.
5. Presione el botón de "encendido" de la freidora y seleccione el modo "freír al aire".
6. Configure el tiempo de cocción en 25 minutos.
7. Ajuste la temperatura a 350° grados F.
8. Una vez precalentado, coloque la canasta de la freidora en el horno y cierre su tapa.
9. Voltee las brochetas cuando estén cocidas a la mitad, luego reanude la cocción.
10. Sirva caliente.

40. Brochetas de carne con yogur

Tiempo de preparación: 10 minutos

Tiempo de cocción: 25 minutos

Porciones: 4

Ingredientes:

- ½ taza de yogur
- 1½ cucharada de menta
- 1 cucharadita de comino molido
- 1 taza de berenjena, cortada en cubitos
- 10.5 onzas de carne de res magra, cortada en cubitos
- ½ cebolla pequeña, en cubos

Instrucciones:

1. Batir el yogur con la menta y el comino en un bol adecuado.
2. Agregue los cubos de carne y mezcle bien para cubrir. Deje marinar durante 30 minutos.
3. Alternativamente, ensarte la carne, la cebolla y la berenjena en las brochetas.
4. Coloque estas brochetas de carne en la canasta para freír.
5. Presione el botón de "encendido" de la freidora y seleccione el modo "freír al aire".
6. Configure el tiempo de cocción en 25 minutos.
7. Ajuste la temperatura a 370 grados F.
8. Una vez precalentado, coloque la canasta de la freidora en el horno y cierre su tapa.
9. Voltee las brochetas cuando estén cocidas a la mitad, luego reanude la cocción.
10. Sirva caliente.

41. Brochetas de carne de agave

Tiempo de preparación: 10 minutos

Tiempo de cocción: 20 minutos

Porciones: 6

Ingredientes:

- 2 libras de Filetes de ternera, en cubos
- Dos cucharadas de condimento jerk
- Ralladura y jugo de 1 lima
- 1 cucharada de sirope de agave
- ½ cucharadita de hojas de tomillo picadas

Instrucciones:

1. Mezcle la carne con el condimento jerk, jugo de lima, ralladura, agave y tomillo.
2. Mezcle bien para cubrir, luego deje marinar durante 30 minutos.
3. Alternativamente, ensarte la carne en las brochetas.
4. Coloque estas brochetas de carne en la canasta para freír.
5. Presione el botón de "encendido" de la freidora y seleccione el modo "freír al aire".
6. Establezca el tiempo de cocción en 20 minutos.
7. Establezca la temperatura en 360 grados F.
8. Una vez precalentado, coloque la canasta de la freidora en el horno y cierre su tapa.
9. Voltee las brochetas cuando estén cocidas a la mitad, luego reanude la cocción.
10. Sirva caliente.

42. Brochetas de ternera con ensalada de patatas

Tiempo de preparación: 10 minutos

Tiempo de cocción: 25 minutos

Porciones: 4

Ingredientes:

- Jugo de ½ limón
- 2 cucharadas de aceite de oliva
- 1 diente de ajo machacado
- 1 ¼ libra de carne de res cortada en cubitos

Para la ensalada:

- 2 patatas, hervidas, peladas y cortadas en cubitos
- 4 tomates grandes, picados
- 1 pepino picado
- 1 puñado de aceitunas negras picadas
- 9 onzas de Empaque queso feta, desmenuzado
- 1 manojo de menta picada

Instrucciones:

1. Batir el jugo de limón con el ajo y el aceite de oliva en un bol.
2. Agregue los cubos de carne y mezcle bien para cubrir. Deje marinar durante 30 minutos.
3. Alternativamente, ensarte la carne en las brochetas.
4. Coloque estas brochetas de carne en la canasta para freír.
5. Presione el botón de "encendido" de la freidora y seleccione el modo "freír al aire".
6. Configure el tiempo de cocción en 25 minutos.
7. Establezca la temperatura en 360 grados F.
8. Una vez precalentado, coloque la canasta de la freidora en el horno y cierre su tapa.
9. Voltee las brochetas cuando estén cocidas a la mitad, luego reanude la cocción.
10. Mientras tanto, bata todos los ingredientes de la ensalada en una ensaladera.
11. Sirva las brochetas con la ensalada preparada.

43. Brochetas clásicas de souvlaki

Tiempo de preparación: 10 minutos

Tiempo de cocción: 20 minutos

Porciones: 6

Ingredientes:

- 2 ¼ libras espaldilla de res desgrasada, cortada en trozos
- 1/3 taza de aceite de oliva
- ½ taza de vino tinto
- 2 cucharadita de orégano seco
- ½ taza de jugo de naranja
- 1 cucharadita de ralladura de naranja
- 2 dientes de ajo machacados

Instrucciones:

1. Batir el aceite de oliva, vino tinto, orégano, jugo de naranja, ralladura y ajo en un recipiente adecuado.
2. Agregue los cubos de carne y mezcle bien para cubrir. Deje marinar durante 30 minutos.
3. Alternativamente, ensarte la carne, la cebolla y el pan en las brochetas.
4. Coloque estas brochetas de carne en la canasta para freír.
5. Presione el botón de "encendido" de la freidora y seleccione el modo "freír al aire".
6. Establezca el tiempo de cocción en 20 minutos.
7. Ajuste la temperatura a 370 grados F.
8. Una vez precalentado, coloque la canasta de la freidora en el horno y cierre su tapa.
9. Voltee las brochetas cuando estén cocidas a la mitad, luego reanude la cocción.
10. Sirva caliente.

44. Brochetas de ternera bañadas en harissa

Tiempo de preparación: 10 minutos

Tiempo de cocción: 16 minutos

Porciones: 6

Ingredientes:

- 1 libra de carne picada
- 4 cucharadas de harissa
- 2 onzas de queso feta
- Una cebolla morada grande, rallada
- 1 puñado de perejil picado
- 1 puñado de menta picada
- 1 cucharada de aceite de oliva
- Jugo de 1 limón

Instrucciones:

1. Batir la carne magra en un tazón de harissa, cebolla, queso feta y condimentos.
2. Con esta mezcla, haga 12 salchichas, luego póngalas en las brochetas.
3. En la canasta para freír, coloque estas brochetas de carne.
4. Presione el botón de "encendido" de la freidora y seleccione el modo "horneado".
5. Establezca el tiempo de cocción en 16 minutos.
6. Ajuste la temperatura a 370 grados F.
7. Coloque la canasta de la freidora en el horno hasta que esté precalentada y cierre la tapa.
8. Voltee las brochetas cuando estén cocidas a la mitad, luego reanude la cocción.
9. En una ensaladera, mezcle los ingredientes restantes de la ensalada.
10. Use la ensalada de tomate para comer las brochetas de ternera.

45. Brochetas de carne con cebolla y pimienta

Tiempo de preparación: 10 minutos

Tiempo de cocción: 20 minutos

Porciones: 4

Ingredientes:

- 2 cucharadas de pasta de pesto
- 2/3 libras de bistec, cortado en cubitos
- 2 pimientos rojos, cortados en trozos
- 2 cebollas moradas, cortadas en gajos
- 1 cucharada de aceite de oliva

Instrucciones:

1. Mezcle la harissa y el aceite con la carne de ternera, luego mezcle bien para cubrir. Deje marinar durante 30 minutos.
2. Ensarte la carne, la cebolla y los pimientos en las brochetas.
3. En la canasta para freír, coloque estas brochetas de carne.
4. Presione el botón de "encendido" de la freidora y seleccione el modo "freír al aire".
5. Establezca el tiempo de cocción en 20 minutos.
6. Ajuste la temperatura a 370 grados F.
7. Coloque la canasta de la freidora en el horno hasta que esté precalentada y cierre la tapa.
8. Voltee las brochetas cuando estén cocidas a la mitad, luego reanude la cocción.
9. Sirva caliente.

46. Brochetas con especias de mayonesa

Tiempo de preparación: 10 minutos

Tiempo de cocción: 10 minutos

Porciones: 4

Ingredientes:

- 2 cucharadas de semillas de comino
- 2 cucharadas de semillas de cilantro
- 2 cucharadas de semillas de hinojo
- 1 cucharada de pimentón
- 2 cucharadas de mayonesa de ajo
- 4 dientes de ajo finamente picados
- ½ cucharadita de canela molida
- 1 ½ libra de carne magra picada

Instrucciones:

1. Licue todas las especias y semillas con el ajo, la crema y la canela en una licuadora.
2. Agregue esta pasta de crema a la carne picada, luego mezcle bien.
3. Haga 8 salchichas y ensarte cada una en las brochetas.
4. Coloque estas brochetas de carne en la canasta para freír.
5. Presione el botón de "encendido" de la freidora y seleccione el modo "freír al aire".
6. Establezca el tiempo de cocción en 10 minutos.
7. Ajuste la temperatura a 370 grados F.
8. Una vez precalentado, coloque la canasta de la freidora en el horno y cierre su tapa.
9. Voltee las brochetas cuando estén cocidas a la mitad, luego reanude la cocción.
10. Sirva caliente.

47. Carne de ternera con ensalada de orzo

Tiempo de preparación: 10 minutos

Tiempo de cocción: 27 minutos

Porciones: 4

Ingredientes:

- 2/3 libras paletilla de res en cubos
- 1 cucharadita de comino molido
- ½ cucharadita de pimienta de cayena
- 1 cucharadita de pimentón dulce ahumado
- 1 cucharada de aceite de oliva
- 24 tomates cherry

Ensalada:

- ½ taza de orzo hervido
- ½ taza de guisantes congelados
- 1 zanahoria grande rallada
- Paquete pequeño de cilantro picado
- Paquete pequeño de menta picada
- Jugo de 1 limón
- 2 cucharadas de aceite de oliva

Instrucciones:

1. Mezcle los tomates y la carne con aceite, pimentón, pimienta y comino en un tazón.
2. Alternativamente, ensarte la carne y los tomates en las brochetas.
3. Coloque estas brochetas de carne en la canasta para freír.
4. Presione el botón de "encendido" de la freidora y seleccione el modo "freír al aire".
5. Configure el tiempo de cocción en 25 minutos.
6. Ajuste la temperatura a 370 grados F.
7. Una vez precalentado, coloque la canasta de la freidora en el horno y cierre su tapa.
8. Voltee las brochetas cuando estén cocidas a la mitad, luego reanude la cocción.
9. Mientras tanto, sofría las zanahorias y los guisantes con aceite de oliva en una sartén durante 2 minutos.
10. Agregue la menta, jugo de limón, cilantro y el orzo cocido.
11. Sirve las brochetas con la ensalada de orzo.

48. Shashliks de calabacín de ternera

Tiempo de preparación: 10 minutos

Tiempo de cocción: 25 minutos

Porciones: 4

Ingredientes:

- 1 libra de ternera, deshuesada y cortada en cubitos
- 1 lima, exprimida y picada
- 3 cucharadas de aceite de oliva
- 20 dientes de ajo picados
- 1 puñado de romero picado
- 3 pimientos verdes, cortados en cubos
- 2 calabacines, en cubos
- 2 cebollas moradas, cortadas en gajos

Instrucciones:

1. Mezcle la carne con el resto de los ingredientes en un bol.
2. Ensarte la carne, los pimientos, el calabacín y la cebolla en las brochetas.
3. Coloque estas brochetas de carne en la canasta para freír.
4. Presione el botón de "encendido" de la freidora y seleccione el modo "freír al aire".
5. Configure el tiempo de cocción en 25 minutos.
6. Ajuste la temperatura a 370 grados F.
7. Una vez precalentado, coloque la canasta de la freidora en el horno y cierre su tapa.
8. Voltee las brochetas cuando estén cocidas a la mitad, luego reanude la cocción.
9. Sirva caliente.

49. Deliciosa mezcla de calabacín

Tiempo total: 25 minutos

Tiempo de preparación: 10 minutos

Tiempo de cocción: 15 minutos

Rinde: 6 porciones

Ingredientes:

- 6 calabacines, cortados por la mitad y luego en rodajas
- Sal y pimienta negra al gusto
- 1 cucharada de mantequilla
- 1 cucharadita de orégano seco
- ½ taza de cebolla amarilla picada
- 3 dientes de ajo picados
- 2 onzas de parmesano rallado
- ¾ taza de crema espesa

Instrucciones:

1. A fuego medio-alto, caliente la mantequilla en una cacerola que se adapte a su Air Fryer, agregue la cebolla, revuelva y cocine por 4 minutos.
2. Mezcle el ajo, calabacín, orégano, sal, pimienta y crema espesa, agite, fría al aire y hierva a 350° grados F durante 10 minutos.
3. Agregue el queso parmesano, bata, corte y coma.

50. Acelga y salchicha

Tiempo total: 30 minutos

Tiempo de preparación: 10 minutos

Tiempo de cocción: 25 minutos

Rinde: 8 porciones

Ingredientes:

- 8 tazas de acelgas picadas
- ½ taza de cebolla picada
- 1 cucharada de aceite de oliva
- 1 diente de ajo picado
- Sal y pimienta negra al gusto
- 3 huevos
- 2 tazas de queso ricotta
- 1 taza de mozzarella, rallada
- Una pizca de nuez moscada
- ¼ de taza de parmesano rallado
- 1 libra de salchicha picada

Instrucciones:

1. Caliente a fuego medio una cacerola con aceite que se adapte a su Air Fryer, agregue la cebolla, ajo, acelga, sal, pimienta y nuez moscada, remover, cocinar y apagar por 2 minutos.
2. En un tazón con mozzarella, parmesano y ricotta, bata los huevos, revuelva, derrame la mezcla de acelgas, agite, coloque en su Air Fryer y cocine a 320° F durante 17 minutos.
3. Divida entre tazones y coma.

51. Ensalada de acelgas

Tiempo total: 18 minutos

Tiempo de preparación: 5 minutos

Tiempo de cocción: 10 minutos

Rinde: 4 porciones

Ingredientes:

- 1 manojo de acelgas, desgarrado
- 2 cucharadas de aceite de oliva
- 1 cebolla amarilla pequeña, picada
- Una pizca de hojuelas de pimiento rojo
- ¼ de taza de piñones tostados
- ¼ de taza de pasas
- 1 cucharada de vinagre balsámico
- Sal y pimienta negra al gusto

Instrucciones:

1. Caliente a fuego medio una cacerola con aceite que se ajuste a su Air Fryer, agregue las acelgas y las cebollas, revuelva y cocine por 5 minutos.
2. Agregue la sal, pimienta, hojuelas de pimienta, pasas, piñones y vinagre, revuelva, fría y cocine a fuego lento a 350° grados F durante 8 minutos.
3. Divida entre tazones y coma.

52. Bosque español

Tiempo total: 18 minutos

Tiempo de preparación: 5 minutos

Tiempo de cocción: 10 minutos

Rinde: 4 porciones

Ingredientes:

- 1 manzana, sin corazón y picada
- 1 cebolla amarilla, cortada en rodajas
- 3 cucharadas de aceite de oliva
- ¼ de taza de pasas
- 6 dientes de ajo picados
- ¼ de taza de piñones tostados
- ¼ de taza de vinagre balsámico
- 5 tazas de espinacas y acelgas mezcladas
- Sal y pimienta negra al gusto
- Una pizca de nuez moscada

Instrucciones:

1. A presión media-alta, caliente con aceite una cacerola que se ajuste a su Air Fryer, agregue la cebolla, revuelva y cocine por 3 minutos.
2. Agregue cebolla, jengibre, pasas, azúcar, la mezcla de espinacas, acelgas, nuez moscada, sal y pimienta, revuelva y ase durante 5 minutos a 350° grados F.
3. Divida en tazones y sirva con piñones.

53. Tomates fritos al aire con sabor

Tiempo total: 25 minutos

Tiempo de preparación: 10 minutos

Tiempo de cocción: 15 minutos

Rinde: 6 porciones

Ingredientes:

- 1 chile jalapeño picado
- 4 dientes de ajo picados
- 2 libras de tomates cherry, cortados por la mitad
- Sal y pimienta negra al gusto
- ¼ de taza de aceite de oliva
- ½ cucharadita de orégano seco
- ¼ de taza de albahaca picada
- ½ taza de parmesano rallado

Instrucciones:

1. En una taza, agregue los tomates con ajo, jalapeño, sazone con sal, pimienta y orégano, rocíe con el aceite, licue hasta cubrir, ponga en su Air Fryer y cocine a 380° F por 15 minutos.
2. Pase los tomates a una sartén, agregue la albahaca y el parmesano, mezcle y coma.

54. Estofado de berenjena italiano

Tiempo total: 25 minutos

Tiempo de preparación: 10 minutos

Tiempo de cocción: 15 minutos

Rinde: 6 porciones

Ingredientes:

- 1 cebolla morada picada
- 2 dientes de ajo picados
- 1 manojo de perejil picado
- Sal y pimienta negra al gusto
- 1 cucharadita de orégano seco
- 2 berenjenas, cortadas en trozos medianos
- 2 cucharadas de aceite de oliva
- 2 cucharadas de alcaparras picadas
- 1 puñado de aceitunas verdes, sin hueso y en rodajas
- 5 tomates picados
- 3 cucharadas de vinagre de hierbas

Instrucciones:

1. Caliente a fuego medio una cacerola con aceite que se ajuste a su Air Fryer, agregue la berenjena, orégano, sal y pimienta, revuelva y cocine por 5 minutos.
2. Combine el ajo, cebolla, perejil, alcaparras, aceitunas, vinagre y los tomates, revuelva, fría y prepare a 360° F durante 15 minutos.
3. Sirva en ollas.

55. Mezcla de tomates cherry y colinabos

Tiempo total: 25 minutos

Tiempo de preparación: 10 minutos

Tiempo de cocción: 15 minutos

Rinde: 6 porciones

Ingredientes:

- 1 cucharada de chalota picada
- 1 diente de ajo picado
- ¾ taza de anacardos, remojados durante un par de horas y escurridos
- 2 cucharadas de levadura nutricional
- ½ taza de caldo de verduras
- Sal y pimienta negra al gusto
- 2 cucharadita de jugo de limón

Para la pasta:

- 1 taza de tomates cherry, cortados por la mitad
- 5 cucharadita de aceite de oliva
- ¼ de cucharadita de ajo en polvo
- 2 colinabos, pelados y cortados en fideos gruesos

Instrucciones:

1. Caliente a fuego medio una cacerola con aceite que se ajuste a su Air Fryer, agregue la berenjena, orégano, sal y pimienta, revuelva y cocine por 5 minutos.
2. Combina el ajo, cebolla, perejil, alcaparras, aceitunas, vinagre y los tomates, revuelva, fría y prepare a 360° F durante 15 minutos.
3. Sirva en ollas.

56. Tomates al ajillo

Tiempo total: 25 minutos

Tiempo de preparación: 10 minutos

Tiempo de cocción: 15 minutos

Rinde: 6 porciones

Ingredientes:

- 4 dientes de ajo machacados
- 1 libra de tomates cherry mixtos
- 3 tomillo, picado
- Sal y pimienta negra al gusto
- ¼ de taza de aceite de oliva

Instrucciones:

1. En un bol con sal, pimienta negra, ajo, aceite de oliva y tomillo, mezcle los tomates, coloque en la Air Fryer y cocine a 360° F durante 15 minutos.
2. Divida los tomates en tazones y sírvalos.

57. Tarta de tomate y albahaca

Tiempo total: 25 minutos

Tiempo de preparación: 10 minutos

Tiempo de cocción: 15 minutos

Rinde: 6 porciones

Ingredientes:

- 1 manojo de albahaca picada
- 4 huevos
- 1 diente de ajo picado
- Sal y pimienta negra al gusto
- ½ taza de tomates cherry cortados por la mitad
- ¼ de taza de queso cheddar rallado

Instrucciones:

1. En una taza, combine los huevos con la canela, pimienta negra, queso y albahaca, luego mezcle bien.
2. Coloque los tomates encima, póngalos en la freidora y cocine a 320° F durante 14 minutos en una bandeja para hornear que encaje con su Air Fryer.
3. Corte y sirva.

58. Delicia de fideos de calabacín

Tiempo total: 30 minutos

Tiempo de preparación: 10 minutos

Tiempo de cocción: 25 minutos

Rinde: 6 porciones

Ingredientes:

- 2 cucharadas de aceite de oliva
- 3 calabacines, cortados en espiral
- 16 onzas de champiñones, en rodajas
- ¼ taza de tomates secos, picados
- 1 cucharadita de ajo picado
- ½ taza de tomates cherry cortados por la mitad
- 2 tazas de salsa de tomates
- 2 tazas de espinaca, cortada
- Sal y pimienta negra al gusto
- Un manojo de albahaca picada

Instrucciones:

1. En un bol colocar los fideos de calabacín, sazonar con sal y pimienta negra y dejar actuar unos 10 minutos.
2. A fuego medio-alto, caliente una sartén con aceite que se ajuste a su Air Fryer, agregue el ajo, revuelva y cocine por 1 minuto.
3. Agregue los champiñones, los tomates secados al sol, tomates cherry, espinacas, pimienta de cayena, la salsa, los fideos de calabacín, colóquelos en la Air Fryer y cocine a 320 grados F durante 10 minutos.
4. Agregue albahaca espolvoreada, divida en platos y disfrute.

59. Tomates simples y salsa de pimiento

Tiempo total: 25 minutos

Tiempo de preparación: 10 minutos

Tiempo de cocción: 15 minutos

Rinde: 6 porciones

Ingredientes:

- 2 pimientos morrones rojos picados
- 2 dientes de ajo picados
- 1 libra de tomates cherry cortados por la mitad
- 1 cucharadita de romero seco
- 3 hojas de laurel
- 2 cucharadas de aceite de oliva
- 1 cucharada de vinagre balsámico
- Sal y pimienta negra al gusto

Instrucciones:

1. En un bol, mezcle los tomates con ajo, sal, pimienta negra, romero, hojas de laurel, la mitad del aceite y la mitad del vinagre. Coloque en la Air Fryer y cocine a 320 grados F por 15 minutos.
2. Mientras tanto, mezcle los pimientos con un toque de sal marina, pimienta negra, el resto del aceite, y el resto del vinagre y mezcle muy bien.
3. Divida los tomates asados en tazones, saltéelos con los pimientos y cómalos.

60. Salmón con tomillo y mostaza

Tiempo de preparación: 10 minutos

Tiempo de cocción: 10 minutos

Porciones: 2

Ingredientes:

- 2 filetes de salmón
- Sal y pimienta al gusto
- ½ cucharadita de tomillo seco
- 2 cucharadas de mostaza
- 2 cucharadita de aceite de oliva
- 1 diente de ajo picado
- 1 cucharada de azúcar morena

Instrucciones:

1. Espolvoree sal y pimienta por ambos lados del salmón.
2. En un tazón, combine los ingredientes restantes.
3. Unte esta mezcla sobre el salmón.
4. Coloque el salmón en la freidora.
5. Elija la función "*Air Fry*".
6. Cocine a 400 grados F durante 10 minutos.

61. Filete de pescado con ajo y limón

Tiempo de preparación: 10 minutos

Tiempo de cocción: 30 minutos

Porciones: 2-4

Ingredientes:

- 2 filetes de pescado blanco
- Spray para cocinar
- ½ cucharadita de pimienta de limón
- ½ cucharadita de ajo en polvo
- Sal y pimienta al gusto
- 2 cucharadita de jugo de limón

Instrucciones:

1. Elija una configuración de horneado en su freidora.
2. Precaliéntelo a 360 grados F.
3. Rocíe los filetes de pescado con aceite.
4. Sazone los filetes de pescado con limón, pimienta, ajo en polvo, sal y pimienta.
5. Agregue a la freidora.
6. Cocine a 360 grados F durante 20 minutos.
7. Rocíe con jugo de limón.

62. Tilapia ennegrecida

Tiempo de preparación: 10 minutos

Tiempo de cocción: 35 minutos

Porciones: 4

Ingredientes:

- 4 filetes de tilapia
- Spray para cocinar
- 2 cucharadita de azúcar morena
- 2 cucharadas de pimentón
- ¼ de cucharadita de pimienta de cayena
- 1 cucharadita de ajo en polvo
- 1 cucharadita de orégano seco
- ½ cucharadita de comino
- Sal al gusto

Instrucciones:

1. Rocíe los filetes de pescado con aceite.
2. Mezcle los ingredientes restantes en un bol.
3. Espolvoree ambos lados del pescado con la mezcla de especias.
4. Agregue a la freidora.
5. Póngalo para freír al aire.
6. Cocine a 400 grados F durante 4 a 5 minutos por lado.

63. Pescado y batatas

Tiempo de preparación: 10 minutos

Tiempo de cocción: 35 minutos

Porciones: 4

Ingredientes:

- 4 tazas de batatas, cortadas en tiras
- 1 cucharadita de aceite de oliva
- 1 huevo batido
- 2/3 taza de pan rallado
- 1 cucharadita de ralladura de limón
- 2 filetes de pescado, cortados en tiras
- ½ taza de yogur griego
- 1 cucharada de chalotas picadas
- 1 cucharada de cebollino picado
- 2 cucharadita de eneldo picado

Instrucciones:

1. Agregue el aceite con las batatas.
2. Cocine en la freidora durante 10 minutos o hasta que esté crujiente a 360 grados F.
3. Déjelo a un lado.
4. Sumerja el filete de pescado en el huevo.
5. Rebose con ralladura de limón mezclada con pan rallado.
6. Freír durante 12 minutos a 360 grados F.
7. Mezcle la leche con los ingredientes restantes.
8. Sirva con pescado, batatas y salsa.

64. Chips de coles de Bruselas

Tiempo de preparación: 10 minutos

Tiempo de cocción: 15 minutos

Porciones: 2

Ingredientes:

- 2 tazas de coles de Bruselas, cortadas en rodajas finas
- 1 cucharada de aceite de oliva
- 1 cucharadita de ajo en polvo
- Sal y pimienta al gusto
- 2 cucharadas de queso parmesano rallado

Instrucciones:

1. En el aceite, eche las coles de Bruselas.
2. Espolvoree la sal, pimienta y queso parmesano con el ajo en polvo.
3. Seleccione la función Hornear.
4. En la freidora, agregue las coles de Bruselas.
5. Cocine por 8 minutos a 350° grados F.
6. Voltee y cocine por 7 minutos más.

65. Rollitos de primavera de camarones con salsa de chile dulce

Tiempo de preparación: 10 minutos

Tiempo de cocción: 30 minutos

Porciones: 4

Ingredientes:

- 2 ½ cucharadas de aceite de sésamo, cantidad dividida
- 1 taza de pimiento rojo cortado en juliana
- 1 taza de zanahorias en rama
- 2 tazas de repollo rallado previamente
- ¼ taza de cilantro fresco picado
- 2 cucharadita de salsa de pescado
- ¼ de cucharadita de pimienta roja molida
- 1 cucharada de jugo de limón fresco
- ¾ taza de guisantes de nieve cortados en juliana
- 4 onzas de camarones crudos pelados y desvenados, picados
- 8 envoltorios de rollitos de primavera (de 8 pulgadas cuadradas)
- ½ taza de salsa de chile dulce

Instrucciones:

1. Vierta 1,5 cucharadita de aceite y déjelo calentar a fuego alto hasta que emita un poco de humo. Consiga una sartén grande. Mezcle el pimiento, zanahorias y repollo. Deje que se cocine hasta que la mezcla esté ligeramente marchita, revuelva constantemente (esto toma 1 o 1.5 minutos). Extienda en una bandeja para hornear y deje enfriar durante 5 minutos.
2. Combine el cilantro, salsa de pescado, pimiento rojo triturado, jugo de limón, guisantes, camarones y una mezcla de repollo en un tazón grande. Revuelva ligeramente.
3. Coloque sobre la superficie de trabajo los envoltorios de rollitos de primavera de modo que quede frente a una esquina. Coloque 1/4 de taza de relleno en el centro de cada envoltura de rollitos de primavera usando una cuchara, mientras lo esparce de izquierda a derecha y en una tira de 3 pulgadas de largo.

4. Mientras coloca la punta de la esquina debajo del relleno, doble la esquina inferior de cada envoltorio sobre el relleno. Doble las esquinas izquierda y derecha sobre el relleno. Con agua, cepille ligeramente la esquina restante y enrolle el extremo de la envoltura en la esquina restante. Por último, haga presione suavemente para cerrar. Espolvoree dos cucharaditas de aceite en los rollitos de primavera.
5. En la canasta de la freidora, transfiera los primeros cuatro rollitos de primavera y déjelos cocinar a 390° F durante aproximadamente 7 minutos. Voltee los rollitos de primavera después de los primeros cinco minutos. Para los otros rollitos de primavera, haga lo mismo.
6. Sirva los rollitos de primavera cocidos junto con la salsa de carne picante.

66. Coco, camarones y albaricoque

Tiempo de preparación: 5 minutos

Tiempo de cocción: 35 minutos

Porciones: 6

Ingredientes:

- 1-1/2 libras camarones grandes, sin cocer
- 1-1/2 tazas de coco rallado endulzado
- ½ taza de pan rallado panko
- 4 claras de huevo grandes
- ¼ de cucharadita de sal
- ¼ de cucharadita de pimienta negro
- 3 pizcas de salsa picante estilo Luisiana
- ½ taza de harina para todo uso
- Spray para cocinar

Salsa:

- 1 taza de mermelada de albaricoque
- ¼ de cucharadita de hojuelas de pimiento rojo triturado
- 1 cucharadita de vinagre de cidra

Instrucciones:

1. 1.Asegúrese de que la freidora esté precalentada a 375 F.
2. Pele los camarones, remover las venas, pero dejar las colas.
3. Elija un tazón poco profundo y combine el coco y el pan rallado.
4. Batir las claras de huevo, sal, pimienta y salsa picante en otra taza pequeña.
5. Tome un tercer tazón pequeño y coloque la harina en él.
6. Para cubrir ligeramente, sumerja los camarones en la harina. Agite y retire el exceso de harina.
7. Luego en la mezcla de clara de huevo y después en la mezcla de coco, sumerja los camarones rebozados en harina.
8. Rocíe la canasta con aceite en aerosol en su freidora. Si es necesario, puede trabajar en lotes.
9. En la canasta de la freidora, coloque los camarones de manera que formen un solo plato.

10. Deje que se cocinen durante 4 minutos. Gírelos al otro lado y cocine hasta que el coco se dore finamente y los camarones estén rosados (esto toma unos 4 minutos).
11. Tome una cacerola pequeña cuando cocine los camarones y mezcle los ingredientes de la salsa. Luego cocine y bata la mezcla hasta que las conservas se derritan a fuego medio-bajo.
12. Sirva la salsa junto con los camarones recién cocidos.

67. Coco, camarones y jugo de limón

Tiempo de preparación: 5 minutos

Tiempo de cocción: 30 minutos

Porciones: 4

Ingredientes:

- 1½ cucharadita de pimienta negra
- ½ taza de harina para todo uso
- 2 huevos grandes
- 2/3 taza de coco desmenuzado sin azúcar
- 1/3 taza de panko (pan rallado al estilo japonés)
- 12 onzas de camarones medianos, crudos, desvenados y pelados, con la cola (alrededor de 24 camarones)
- Spray para cocinar
- ½ cucharadita de sal kosher

Salsa:

- ¼ de taza de jugo de limón
- 1 chile serrano, en rodajas finas
- ¼ de taza de miel
- 2 cucharadita de cilantro fresco picado (opcional)

Instrucciones:

1. Consiga un plato poco profundo y haga una mezcla de pimienta y harina.
2. En un segundo plato poco profundo, bata los huevos.
3. Consiga un tercer plato poco profundo y mezcle el coco y el panko.
4. Sostenga cada camarón por la cola y sumérjalo en la mezcla de harina sin cubrir la cola. Agite para eliminar el exceso de harina.
5. Sumerja en la mezcla de huevo y deje que escurra el exceso.
6. Finalmente sumergir en la mezcla de coco y presione para asegurar la adherencia.
7. Cubra los camarones generosamente con el aceite en aerosol.
8. Transfiera la mitad de los camarones a la canasta de la freidora y deje cocinar de 6 a 8 minutos a 400° F.

9. A la mitad de la cocción, voltee los camarones al otro lado y sazone con ¼ de cucharadita de sal.
10. Haga lo mismo con los demás camarones.
11. Mientras tanto, consiga un tazón pequeño y mezcle el jugo de limón, el chile serrano y la miel.
12. Espolvoree los camarones cocidos con cilantro y sirva junto con la salsa (si lo desea).

68. Camarones al limón

Tiempo de preparación: 5 minutos

Tiempo de cocción: 20 minutos

Porciones: 2

Ingredientes:

- Jugo de 1 limón
- ¼ de cucharadita de pimentón
- ¼ de cucharadita de polvo de ajo
- 1 cucharadita de pimienta con limón
- 1 cucharada de aceite de oliva
- 12 onzas de camarones medianos, crudos, pelados y desvenados
- 1 limón en rodajas

Instrucciones:

1. Asegúrese de que su freidora esté precalentada a 400 F.
2. Haga una mezcla de jugo de limón, pimentón, ajo en polvo, pimienta y aceite de oliva en un tazón.
3. Agregue los camarones y cúbralos con la mezcla.
4. Transfiera los camarones a la freidora y cocine por unos 8 minutos (hasta que los camarones estén firmes y rosados).
5. Sirva junto con rodajas de limón.

69. Camarones Air Fryer

Tiempo de preparación: 10 minutos

Tiempo de cocción: 30 minutos

Porciones: 4

Ingredientes:

- ¼ de taza de salsa de chile dulce
- 1 cucharada de salsa Sriracha
- ½ taza de mayonesa
- ¼ de taza de harina para todo uso
- 1 taza de pan rallado panko
- 1 libra de camarones crudos, pelados y desvenados
- 1 cabeza de lechuga de hojas sueltas
- 2 cebollas verdes, picadas o al gusto (opcional)

Instrucciones:

1. 1.Asegúrese de que la configuración de su Air Fryer sea 400° F.
2. En un tazón, bata una mezcla de salsa de ajo, salsa Sriracha y mayonesa hasta obtener una mezcla homogénea.
3. Coloque en un plato la harina y en otro plato el panko.
4. Primero, sumerja los camarones en la harina y luego en la mezcla de mayonesa. Sumérjalo en el panko, finalmente.
5. En una bandeja para hornear, transfiera los camarones recubiertos y luego a la canasta de la freidora sin abarrotar la canasta.
6. Déjelos cocinar durante 12 minutos.
7. Para los camarones restantes, haga lo mismo.
8. Sirva los camarones fritos con cebollas verdes en lechuga enrollada como guarnición.

70. Langostinos con nachos crujientes

Tiempo de preparación: 5 minutos

Tiempo de cocción: 20 minutos

Porciones: 6

Ingredientes:

- 18 langostinos grandes, pelados y desvenados, sin colas
- 1 huevo batido
- 1 bolsa (10 onzas) de chips de maíz con sabor a nacho y queso, finamente triturados

Instrucciones:

1. Enjuague los langostinos y séquelos dándoles palmaditas.
2. En un tazón pequeño bata el huevo. Transfiera las chips de maíz trituradas a un recipiente aparte.
3. Sumerja un langostino en el huevo batido y las chips trituradas, respectivamente.
4. Transfiera los langostinos rebozados a un plato y haga lo mismo con los restantes.
5. Asegúrese de que su Air Fryer esté precalentada a 350° F.
6. Transfiera los langostinos rebozados a la freidora y déjelos cocer durante 8 minutos.
7. Los langostinos opacos significan que están bien cocidos.
8. Retire de la freidora y sirva.

71. Barras de calabaza y coco

Tiempo total: 20 minutos

Tiempo de preparación: 10 minutos

Tiempo de cocción: 10 minutos

Rinde: 12 porciones

Ingredientes:

- 2 huevos
- 1/4 taza de harina de coco
- 8 onzas de puré de calabaza
- 1/2 taza de aceite de coco derretido
- 1/3 taza desviación
- 1 1/2 cucharadita de pastel de calabaza especias
- 1/2 cucharadita de bicarbonato de sodio
- 1 cucharadita de Levadura en polvo
- Pizca de sal

Instrucciones:

1. Coloque la rejilla de la freidora en la posición 1.
2. Bata los huevos, aceite de coco, las especias para pastel de calabaza, el edulcorante y el puré de calabaza en un bol hasta que estén bien mezclados.
3. Mezcle levadura, harina de coco, sal y bicarbonato de sodio en otro plato.
4. Aplique la mezcla de huevo a la mezcla de harina de coco y combine bien.
5. En la bandeja para hornear preparada, agregue la mezcla y extienda uniformemente.
6. Coloque la bandeja para hornear en el horno precalentado después de cinco minutos. Hornee durante 33 minutos a 350° F.
7. Corte y sirva.

72. Barras de mantequilla de maní y almendras

Tiempo total: 40 minutos

Tiempo de preparación: 10 minutos

Tiempo de cocción: 30 minutos

Rinde: 8 porciones

Ingredientes:

- 2 huevos
- 1/2 taza de eritritol
- 1/2 taza de mantequilla ablandada
- 1/2 taza de mantequilla de maní
- 1 cucharada de harina de coco
- 1/2 taza de harina de almendras

Instrucciones:

1. Coloque la rejilla de la freidora en la posición 1.
2. Mezcle la miel, los huevos y la mantequilla de maní en un tazón hasta que estén bien combinados.
3. Agregue los ingredientes secos y mezcle hasta que la masa esté suave.
4. Extienda la masa en la bandeja para hornear engrasada de manera uniforme.
5. Coloque la bandeja para hornear en el horno precalentado después de cinco minutos. Hornee durante 35 minutos a 350° F.
6. Corte y sirva.

73. Deliciosas barras de limón

Tiempo total: 40 minutos

Tiempo de preparación: 10 minutos

Tiempo de cocción: 30 minutos

Rinde: 8 porciones

Ingredientes:

- 4 huevos
- 1 ralladura de limón
- 1/4 taza de jugo de limón fresco
- 1/2 taza de mantequilla ablandada
- 1/2 taza de crema agria
- 1/3 taza de eritritol
- 2 cucharadita de Levadura en polvo
- 2 tazas de harina de almendras

Instrucciones:

1. Coloque la rejilla de la freidora en la posición 1.
2. Bata los huevos en un bol hasta que estén espumosos.
3. Agregar la mantequilla y la crema agria y bata hasta que esté bien mezclado.
4. Mezcle bien con el edulcorante, la ralladura de limón y el jugo de limón.
5. Agregue levadura y harina de almendras y combine hasta que se mezcle correctamente.
6. Mueva la masa y extiéndala uniformemente en una bandeja para hornear engrasada.

7. Coloque la bandeja para hornear en el horno precalentado después de cinco minutos. Hornee durante 45 minutos a 350° F.
8. Corte y sirva.

74. Crema de huevo fácil

Tiempo total: 50 minutos

Tiempo de preparación: 10 minutos

Tiempo de cocción: 40 minutos

Rinde: 8 porciones

Ingredientes:

- 2 yemas de huevo
- 1 cucharadita de nuez moscada
- 1/2 taza de eritritol
- 2 tazas de crema batida espesa
- 3 huevos
- 1/2 cucharadita de vainilla

Instrucciones:

1. Coloque la rejilla de la freidora en la posición 1.
2. En un tazón grande, agregue todos los ingredientes y bata hasta que esté bien mezclado.
3. Vierta la mezcla de natillas en el molde para pastel engrasado.
4. Coloque el molde para pastel en el horno precalentado después de cinco minutos. Hornee durante 40 minutos a 350° F.
5. Sirva.

75. Natilla de calabaza

Tiempo total: 40 minutos

Tiempo de preparación: 10 minutos

Tiempo de cocción: 30 minutos

Rinde: 8 porciones

Ingredientes:

- 4 yemas de huevo
- 1/2 cucharadita de canela
- 1 cucharadita de *Stevia* liquida
- 15 onzas de puré de calabaza
- 3/4 taza de crema de coco
- 1/8 cucharadita de clavos de olor
- 1/8 cucharadita de jengibre

Instrucciones:

1. Coloque la rejilla de la freidora en la posición 1.
2. Mezcle el puré de calabaza, los clavos, jengibre, canela y revuelva en un tazón ancho.
3. Bata hasta que esté bien mezclado, agregar las yemas de huevo y bata.
4. Coloque la crema de coco y revuelva bien.
5. Vierta en los seis moldes la mezcla.
6. Coloque el molde en un horno precalentado después de 5 minutos. Hornee durante 45 minutos a 350° F.
7. Sirva refrigerado y disfrute.

76. Galletas de mantequilla de almendras

Tiempo total: 25 minutos

Tiempo de preparación: 10 minutos

Tiempo de cocción: 15 minutos

Rinde: 15 porciones

Ingredientes:

- 1 huevo
- 1/2 taza de eritritol
- 1 taza de mantequilla de almendras
- 1 cucharadita de vainilla
- Pizca de sal

Instrucciones:

1. Coloque la rejilla de la freidora en la posición 1.
2. En un tazón grande, agregue todos los ingredientes y mezcle hasta que esté bien combinado.
3. Haga galletas con la mezcla del tazón y colóquelas en una bandeja para hornear forrada con papel pergamino.
4. Coloque la bandeja para hornear en el horno precalentado después de cinco minutos. Hornee durante 20 minutos a 350° F.
5. Sirva.

77. Sabrosas galletas de calabaza

Tiempo total: 35 minutos

Tiempo de preparación: 15 minutos

Tiempo de cocción: 20 minutos

Rinde: 8 porciones

Ingredientes:

- 1 huevo
- 2 tazas de harina de almendras
- 1/2 cucharadita de Levadura en polvo
- 1 cucharadita de vainilla
- 1/2 taza de mantequilla
- 1 cucharadita de *Stevia* liquida
- 1/2 cucharadita de especias de pastel de calabaza
- 1/2 taza de puré de calabaza

Instrucciones:

1. Coloque la rejilla de la freidora en la posición 1.
2. Agregue todos los ingredientes en un tazón grande y licúe hasta que estén bien mezclados.
3. Haga galletas con la mezcla y colóquelas en una bandeja para hornear forrada con papel pergamino.
4. Coloque la bandeja para hornear en el horno precalentado después de cinco minutos. Hornee durante 30 minutos a 300° F.
5. Sirva y disfrute.

78. Galletas de nueces y almendras

Tiempo total: 30 minutos

Tiempo de preparación: 10 minutos

Tiempo de cocción: 20 minutos

Rinde: 16 porciones

Ingredientes:

- 1/2 taza de mantequilla
- 1 cucharadita de vainilla
- 2 cucharadita de gelatina
- 2/3 taza desviación
- 1 taza de nueces
- 1/3 taza de harina de coco
- 1 taza de harina de almendras

Instrucciones:

1. Coloque la rejilla de la freidora en la posición 1.
2. En el procesador de alimentos, agregue la mantequilla, vainilla, gelatina, vinagre, harina de coco, harina de almendras y procese hasta que se formen migas.
3. Agregue nueces y procéselas hasta que estén picadas.
4. Haga galletas con la mezcla preparada y colóquelas en una bandeja para hornear forrada con papel pergamino.

5. Coloque la bandeja para hornear en el horno precalentado después de cinco minutos. Hornee durante 25 minutos a 350° F.
6. Sirva y disfrute.

79. Galletas de mantequilla

Tiempo total: 25 minutos

Tiempo de preparación: 10 minutos

Tiempo de cocción: 15 minutos

Rinde: 24 porciones

Ingredientes:

- 1 huevo, ligeramente batido
- 1 cucharadita de vainilla
- 3/4 taza desviación
- 1 1/4 tazas de harina de almendras
- 1 cucharadita de levadura en polvo
- 1 barra de mantequilla
- Pizca de sal

Instrucciones:

1. Coloque la rejilla de la freidora en la posición 1.
2. Bata la mantequilla y el edulcorante en un bol hasta que quede suave.
3. Mezcle la harina de almendras y la levadura en un plato aparte.
4. Aplique la mezcla de mantequilla al huevo y la vainilla y bata hasta que quede suave.
5. Aplique los ingredientes secos a los ingredientes húmedos y revuelva hasta que estén bien mezclados.
6. Cubra la masa con film transparente y póngala durante 1 hora en el frigorífico.
7. Haga galletas con la masa y colóquelas en una bandeja para hornear forrada con papel pergamino.
8. Coloque la bandeja para hornear en el horno precalentado después de cinco minutos. Hornee durante 20 minutos a 325° F.
9. Sirva y disfrute.

80. Sabrosas galletas de brownie

Tiempo total: 30 minutos

Tiempo de preparación: 10 minutos

Tiempo de cocción: 20 minutos

Rinde: 16 porciones

Ingredientes:

- 1 huevo
- 1/2 taza de eritritol
- 1/4 taza de cacao en polvo
- 1 taza de mantequilla de almendras
- 3 cucharadas de leche
- 1/4 taza de chispas de chocolate

Instrucciones:

1. Coloque la rejilla de la freidora en la posición 1.
2. Mezcle la mantequilla de almendras, huevo, edulcorante, leche de almendras y cacao en polvo en un tazón hasta que estén bien mezclados.
3. Agregue las chispas de chocolate.
4. Haga galletas con la masa y colóquelas en una bandeja para hornear forrada con papel pergamino.
5. Coloque la bandeja para hornear en el horno precalentado después de cinco minutos. Hornee durante 15 minutos a 350° F.
6. Sirva y disfrute.

81. Sabrosas galletas de jengibre

Tiempo total: 20 minutos

Tiempo de preparación: 10 minutos

Tiempo de cocción: 10 minutos

Rinde: 8 porciones

Ingredientes:

- 1 huevo
- 1/2 cucharadita de canela molida
- 1/2 cucharadita de jengibre molido
- 1 cucharadita de levadura en polvo
- 3/4 taza de eritritol
- 1/2 cucharadita de vainilla
- 1/8 cucharadita de clavo molido
- 1/4 cucharadita de nuez de tierra
- 2/4 taza de mantequilla derretida
- 1 1/2 tazas de harina de almendras
- Pizca de sal

Instrucciones:

1. Coloque la rejilla de la freidora en la posición 1.
2. Mezcle todos los ingredientes secos en un tazón.
3. Mezcle todos los ingredientes húmedos en otro tazón.
4. Aplique los ingredientes secos a los ingredientes húmedos y combine hasta que la mezcla tenga una apariencia de masa.
5. Tape y coloque durante 30 minutos en el frigorífico.
6. Haga galletas con la masa y colóquelas en una bandeja para hornear forrada con papel pergamino.
7. Coloque la bandeja para hornear en el horno precalentado después de cinco minutos. Hornee durante 15 minutos a 350° F.
8. Sirva y disfrute.

82. Pastel de limón simple

Tiempo total: 55 minutos

Tiempo de preparación: 25 minutos

Tiempo de cocción: 30 minutos

Rinde: 8 porciones

Ingredientes:

- 3 huevos
- Mantequilla derretida
- Jugo de 3 limones
- 1 ralladura de limón rallada
- 4 onzas de eritritol
- Harina de almendra
- Sal

Instrucciones:

1. Coloque la rejilla de la freidora en la posición 1.
2. Mezcle la mantequilla, 1 onza de edulcorante, 3 onzas de harina de almendras y sal en una bandeja.
3. Mueva la masa a un molde para pastel y cocine por 20 minutos, esparciendo uniformemente.
4. Mezcle los huevos, jugo de limón, ralladura de limón, el resto de la harina, edulcorante y sal en un envase aparte.
5. Vierta la mezcla de huevos en una base preparada.
6. Coloque el molde para pastel en el horno precalentado después de cinco minutos. Hornee durante 35 minutos a 350° F.
7. Corte y sirva.

83. Sabroso pastel de coco

Tiempo total: 30 minutos

Tiempo de preparación: 10 minutos

Tiempo de cocción: 25 minutos

Rinde: 10 porciones

Ingredientes:

- 5 huevos, separados
- 1/2 taza de eritritol
- 1/4 taza de leche de coco
- 1/2 taza de harina de coco
- 1/2 cucharadita de Levadura en polvo
- 1/2 cucharadita de vainilla
- 1/2 taza de mantequilla ablandada
- Pizca de sal

Instrucciones:

1. Coloque la rejilla de la freidora en la posición 1.
2. Engrase el molde para pasteles untado con mantequilla y déjelo a un lado.
3. Batir el edulcorante y la mantequilla en un tazón hasta que se mezclen.
4. Mezclar bien con las yemas de huevo, leche de coco y vainilla.
5. Revuelva bien y aplique levadura, harina de coco y sal.
6. Bata las claras de huevo en otro bol hasta que salga un pico rígido.
7. Incorpore las claras de huevo con cuidado a la mezcla del bizcocho.
8. En un molde para pasteles preparado, vierta la masa en él.
9. Coloque el molde para pasteles en el horno precalentado durante 5 minutos. Hornee durante 25 minutos a 400 F.
10. Corte y sirva.

84. Pastel de queso fácil de limón

Tiempo total: 55 minutos

Tiempo de preparación: 10 minutos

Tiempo de cocción: 35 minutos

Rinde: 10 porciones

Ingredientes:

- 4 huevos
- 2 cucharadas de *Swerve*
- 1 jugo de limón fresco
- 18 onzas de queso ricotta
- 1 ralladura de limón fresco

Instrucciones:

1. Coloque la rejilla de la freidora en la posición 1.
2. Bata el queso ricotta en un tazón grande hasta que quede suave.
3. Coloque un huevo a la vez y bata bien.
4. Mezcle bien con jugo de limón, ralladura de limón y *Swerve*.
5. Mueva la mezcla l molde para pasteles engrasado.
6. Coloque el molde para pasteles en el horno precalentado durante 5 minutos. Hornee durante 60 minutos a 350° F.
7. Corte y sirva.

85. Pastel de mantequilla de limón

Tiempo total: 55 minutos

Tiempo de preparación: 20 minutos

Tiempo de cocción: 35 minutos

Rinde: 10 porciones

Ingredientes:

- 4 huevos
- 1/2 taza de mantequilla ablandada
- 2 cucharadita de levadura en polvo
- 1/4 taza de harina de coco
- 2 tazas de harina de almendras
- 2 cucharadas de limón rallado
- 1/2 taza de jugo de limón fresco
- 1/4 taza de eritritol
- 1 cucharada de vainilla

Instrucciones:

1. Coloque la rejilla de la freidora en la posición 1.
2. Bata todos los ingredientes en un tazón ancho hasta que se forme una masa suave.
3. Llene el molde para pan con mantequilla.
4. Coloque el molde para pan en el horno precalentado después de cinco minutos. Hornee durante 60 minutos a 300° F.
5. Corte y sirva.

86. Pastel de mantequilla de queso crema

Tiempo total: 45 minutos

Tiempo de preparación: 10 minutos

Tiempo de cocción: 35 minutos

Rinde: 10 porciones

Ingredientes:

- 5 huevos
- 1 taza de *Swerve*
- 4 onzas de queso crema, ablandado
- 1 cucharadita de vainilla
- 1 cucharadita de extracto de naranja
- 1 cucharadita de levadura en polvo
- Harina de almendra
- 1/2 taza de mantequilla ablandada

Instrucciones:

1. Coloque la rejilla de la freidora en la posición 1.
2. En un tazón, agregue todos los ingredientes y bata hasta que quede esponjoso.
3. Vierta la masa en un molde para pasteles que haya preparado.
4. Coloque el molde para pasteles en el horno precalentado durante 5 minutos. Hornee durante 40 minutos a 350° F.
5. Corte y sirva.

87. Pastel de ricotta fácil

Tiempo total: 55 minutos

Tiempo de preparación: 20 minutos

Tiempo de cocción: 35 minutos

Rinde: 8 porciones

Ingredientes:

- 2 huevos
- 1/2 taza de eritritol
- 1/4 taza de harina de coco
- 15 onzas de ricotta
- Pizca de sal

Instrucciones:

1. Coloque la rejilla de la freidora en la posición 1.
2. Mezcle los huevos en un envase.
3. Agregue los ingredientes restantes y mezcle hasta que estén bien combinados.
4. Aplique la masa a la bandeja de pastel engrasada.
5. Coloque el molde para pasteles en el horno precalentado durante 5 minutos. Hornee durante 50 minutos a 350° F.
6. Corte y sirva.

88. Muffins de fresa

Tiempo total: 45 minutos

Tiempo de preparación: 10 minutos

Tiempo de cocción: 35 minutos

Rinde: 10 porciones

Ingredientes:

- 4 huevos
- 1/4 taza de agua
- 1/2 taza de mantequilla derretida
- 2 cucharadita de Levadura en polvo
- 2 tazas de harina de almendras
- 2/3 taza de fresas picadas
- 2 cucharadita de vainilla
- 1/4 taza de eritritol
- Pizca de sal

Instrucciones:

1. Coloque la rejilla de la freidora en la posición 1.
2. Forre 12 espacios de una bandeja para muffins con los moldes para cupcakes y reserve.
3. Mezcle la harina de almendras, levadura y sal en un tazón mediano.
4. Bata los huevos, edulcorante, vainilla, agua y mantequilla en una taza aparte.
5. Aplique la mezcla de harina de almendras a la mezcla de huevo y revuelva hasta que esté bien mezclado.
6. Coloque las fresas y revuelva bien.
7. Vierta la masa en los moldes para muffins que ha preparado.
8. Coloque el molde para muffins en el horno precalentado durante 5 minutos. Hornee durante 25 minutos a 350° F.
9. Sirva y disfrute.

89. Mini muffins de brownie

Tiempo total: 35 minutos

Tiempo de preparación: 10 minutos

Tiempo de cocción: 25 minutos

Rinde: 10 porciones

Ingredientes:

- 3 huevos
- 1/2 taza de *Swerve*
- 1 taza de harina de almendras
- 1 cucharada de gelatina
- 1/3 taza de mantequilla derretida
- 1/3 taza de cacao en polvo

Instrucciones:

1. Coloque la rejilla de la freidora en la posición 1.
2. Forre 6 espacios de una bandeja para muffins con los moldes para cupcakes y reserve.
3. En el tazón, agregue todos los ingredientes y revuelva hasta que esté bien mezclado.
4. En el molde para muffins preparado, vierta la mezcla en él.
5. Coloque el molde para muffins en el horno precalentado durante 5 minutos. Hornee durante 20 minutos a 350° F.
6. Sirva y disfrute.

90. Barras de pastel de queso con canela

Tiempo total: 35 minutos

Tiempo de preparación: 10 minutos

Tiempo de cocción: 25 minutos

Rinde: 10 porciones

Ingredientes:

- Aceite en aerosol antiadherente
- 16 onzas de queso crema, blando
- 1 cucharadita de vainilla
- 1 ¼ tazas de azúcar, dividida
- 2 tubos de rollos de media luna refrigerados
- 1 cucharadita de canela
- ¼ taza de mantequilla

Instrucciones:

1. Coloque la rejilla en la posición 1. Use aceite en aerosol para rociar el fondo de una sartén de 8x11 pulgadas.
2. Bata el queso crema, la vainilla y 3⁄4 de taza de azúcar en un tazón mediano hasta que quede suave.
3. En el fondo de la sartén preparada, extienda una lata de rollos de media luna, cierre y presione los lados hacia arriba.
4. Extienda la mezcla de queso crema uniformemente sobre las medias lunas.
5. Extienda la segunda lata de medialunas, cubriendo las perforaciones sobre la parte superior de la mezcla de queso.
6. Mezcle la canela y el azúcar restante en una taza pequeña. Deje que la mantequilla se derrita.
7. Ponga el horno a 375° F durante 35 minutos.
8. Espolvoree sobre las medias lunas el azúcar de canela y rocíe con mantequilla derretida.
9. Coloque la sartén en el horno después de que el horno se haya precalentado durante 5 minutos, luego hornee por 30 minutos hasta que la parte superior esté dorada.
10. Antes de que corte y sirva, cubra y refrigere durante al menos 2 horas.

91. Zapatero de fresas

Tiempo total: 35 minutos

Tiempo de preparación: 10 minutos

Tiempo de cocción: 25 minutos

Rinde: 10 porciones

Ingredientes:

- Spray de cocina con sabor a mantequilla
- 2 cucharadas de maicena
- ¼ taza de jugo de limón fresco
- ½ taza + 1 cucharada de azúcar, divididas
- 3 tazas de fresas, peladas y en rodajas
- 5 cucharadas mantequilla fría y cortada en cubitos
- 1 taza de harina
- 1 ½ cucharadita de levadura en polvo
- ½ cucharadita de sal
- ½ taza de crema espesa

Instrucciones:

1. Coloque la rejilla en la posición 1. Use aceite en aerosol para rociar un molde para hornear de 9 pulgadas.
2. Combine la maicena, jugo de limón y media taza de azúcar en una cacerola. Cocine, revolviendo constantemente, a fuego medio, hasta que el azúcar se disuelva y la mezcla espese.
3. Retire del fuego y agregue las fresas suavemente. Vierta 2 cucharaditas de mantequilla en una sartén preparada.
4. Combine la harina, el azúcar restante, levadura y sal en un tazón grande. Divida la mantequilla restante con un tenedor o un cortador de masa hasta que la mezcla se asemeje a migas gruesas.
5. Agregue la crema y espolvoree las fresas sobre ellas.
6. Ajuste el horno a 400 grados F durante 30 minutos para hornear. Coloque el zapatero en el horno después de cinco minutos y hornee por 25 minutos hasta que esté burbujeante y dorado. Deje enfriar por lo menos 10 minutos antes de servir.

92. Frituras de calabacín al horno

Tiempo total: 20 minutos

Tiempo de preparación: 10 minutos

Tiempo de cocción: 10 minutos

Rinde: 4 porciones

Ingredientes:

- 3 calabacines medianos, cortados a lo largo
- 1/2 taza de
- 2 huevos, las claras
- 1/4 cucharadita de ajo en polvo
- 2 cucharadas de queso parmesano rallado
- Sal y pimienta al gusto

Instrucciones:

1. Batir las claras de huevo en un bol y sazonar con sal y pimienta.
2. En un plato aparte, combine el ajo en polvo, pan rallado y queso.
3. Sumerja los palitos de calabacín uno tras otro en la mezcla de huevo, pan rallado y queso respectivamente, luego colóquelos en la bandeja de su Air Fryer en una sola capa.
4. Cubra ligeramente con aceite en aerosol y hornee por unos 15 minutos a 390° F hasta que estén dorados.
5. Sirva con salsa marinara.

93. Tomate heirloom asado con feta horneado

Tiempo total: 20 minutos

Tiempo de preparación: 10 minutos

Tiempo de cocción: 10 minutos

Rinde: 4 porciones

Ingredientes:

Para el tomate:

- 2 tomates heirloom, cortados en rodajas gruesas en rodajas circulares de ½ pulgada
- 1 8 onzas de queso feta, cortado en rodajas gruesas en rodajas circulares de ½ pulgada
- ½ taza de cebolla morada, en rodajas finas
- 1 pizca de sal
- 1 cucharada de aceite de oliva

Para el pesto de albahaca:

- ½ taza de albahaca picada
- ½ taza de perejil, picado
- 3 cucharadas de piñones tostados
- ½ taza de queso parmesano rallado
- 1 diente de ajo
- 1 pizca de sal
- ½ taza de aceite de oliva

Instrucciones:

1. Empiece por hacer el pesto. Para hacer esto, en un procesador de alimentos mezcle ajo, parmesano, perejil, piñones tostados, albahaca y sal.
2. Enciéndalo y eventualmente aplique el aceite de oliva al pesto. Almacene y coloque en el refrigerador hasta que termine.
3. Precaliente la freidora de aire a 390° F. Dele palmaditas a un tomate seco con una toalla sobre. Unte una cucharada de pesto encima de cada rodaja de tomate y cubra con el queso feta. Agregue las cebollas rojas y mezcle con 1 cucharada de aceite de oliva; poner encima del queso feta.

4. En el tazón de cocción, coloque el queso feta/tomates y cocine de 12 a 14 minutos o hasta que el queso esté marrón y comience a ablandarse.
5. Agregue 1 cucharada de pesto de albahaca y una cucharada de sal. Sirva y disfrute.

94. Frijoles Graram Masala

Tiempo total: 20 minutos

Tiempo de preparación: 10 minutos

Tiempo de cocción: 10 minutos

Rinde: 4 porciones

Ingredientes:

- 9 onzas de frijoles
- 2 huevos
- 1/2 taza de pan rallado
- 1/2 taza de harina
- 1/2 cucharadita de garam masala
- 2 cucharadita de chile en polvo
- Aceite de oliva
- Sal al gusto

Instrucciones:

1. A 350° F, precaliente la Air Fryer. En una taza, combine el chile en polvo, el garam masala, harina y sal, y revuelva bien. Coloque los huevos en una bandeja y bátalos.
2. En una sartén diferente, vierta el pan rallado y luego cubra los frijoles con la mezcla de harina. Ahora sumerja los frijoles en la mezcla de los huevos y luego el pan rallado. Haga esto para todos los frijoles.
3. Coloque los frijoles en la bandeja de su Air Fryer y cocine durante 4 minutos. Cubra con aceite los frijoles y cocine a fuego lento nuevamente por otros 3 minutos. Sírvalo caliente.

95. Gajos de papa crujiente

Tiempo total: 20 minutos

Tiempo de preparación: 10 minutos

Tiempo de cocción: 10 minutos

Rinde: 4 porciones

Ingredientes:

- 3 cucharadita de aceite de oliva
- 2 papas grandes
- ¼ de taza de salsa de chile dulce
- ¼ de taza de crema agria

Instrucciones:

1. Para formar un gajo, corte las papas a lo largo.
2. Caliente la freidora de aire a 356° F.
3. En un bol ponga los gajos y añada el aceite. Mezcle suavemente hasta que las papas estén completamente cubiertas con el aceite.
4. Coloque el lado de la piel hacia abajo en la canasta de cocción y cocine durante unos 15 minutos. Remuévalas y luego cocine hasta que estén doradas por otros 10 minutos.
5. Se come mejor con chile y crema agria cuando está caliente.

96. Aros de cebolla crujientes

Tiempo total: 20 minutos

Tiempo de preparación: 10 minutos

Tiempo de cocción: 10 minutos

Rinde: 4 porciones

Ingredientes:

- 1 cebolla grande, finamente rebanada
- 8 onzas de leche
- 1 huevo
- 6 onzas de pan rallado
- 1 cucharadita de levadura en polvo
- 10 onzas de harina
- 1 cucharadita de sal

Instrucciones:

1. Caliente su Air Fryer a 360° F durante 10 minutos.
2. Separe las rodajas de cebolla para separar los aros.
3. Mezcle levadura, harina y sal en un bol.
4. Ponga los aros de cebolla en la mezcla de harina para cubrirlos. Bata el huevo y la leche y mezcle con la harina para formar una masa. Sumerja los aros cubiertos de harina en la masa.
5. Coloque el pan rallado en una bandeja pequeña, coloque los aros de cebolla y asegúrese de que todos los lados estén bien cubiertos.
6. Coloque los aros en la canasta de la freidora y fríalos al aire durante 10 minutos hasta que estén crujientes.

97. Lasaña de queso y salsa de calabaza

Tiempo total: 20 minutos

Tiempo de preparación: 10 minutos

Tiempo de cocción: 10 minutos

Rinde: 2 porciones

Ingredientes:

- 25 onzas de calabaza, peladas y finamente picadas
- 4 cucharadita de romero finamente picado
- 17½ onzas de remolacha, cocidas y en rodajas finas
- 1 cebolla mediana, picada
- 1 taza de queso de cabra rallado
- Queso grana padano, rallado
- 28 onzas de tomates, en cubos
- 6 cucharadita de aceite de oliva
- 8½ onzas de láminas de lasaña

Instrucciones:

1. En una taza, mezcle la calabaza, 3 cucharaditas de aceite y el romero, y fría durante 10 minutos a 347 grados F.
2. Para mezclar el romero, los pimientos y las cebollas en un puré, retire la calabaza de la Air Fryer y use una batidora de mano. En una bandeja vierta el puré y póngalo a fuego lento durante 5 minutos.
3. Engrase una bandeja resistente al calor con grasa. Primero, coloque la salsa de calabaza y luego las láminas de lasaña. Divida la salsa en dos y el queso de cabra y la remolacha en tres. Ponga sobre la lasaña una porción de remolacha y salsa, y cubra con una porción de queso de cabra. Repita esto hasta que se hayan usado todos los ingredientes y lo termine con queso y salsa.
4. Agregue la lasaña y fría al aire con el grana padano a 300° F durante 45 minutos. Remueva y dejar enfriar.
5. Use un cortador de galletas para cortar formas circulares y asar durante 6 minutos a 390° F. Decore con el queso rallado de cabra y las rodajas de remolacha.

98. Envolturas de pasta

Tiempo total: 20 minutos

Tiempo de preparación: 10 minutos

Tiempo de cocción: 10 minutos

Rinde: 2 porciones

Ingredientes:

- 8 onzas de harina
- 2 onzas de pasta
- 6 cucharadita de aceite de oliva
- 1 diente de ajo picado
- 1 chile verde picado
- 1 cebolla pequeña picada
- 1 cucharada de pasta de tomate
- ½ cucharadita de garam masala
- Sal al gusto

Instrucciones:

1. Mezcle la harina con agua y sal para formar una masa. Agregue una cucharadita de la mezcla de aceite y reserve.
2. Ponga la pasta en agua hirviendo y agregue 3 cucharaditas de aceite y sal. Escurra el exceso de agua cuando esté cocida.

3. Saltee las cebollas, ajo, chile y agregue las especias, sal y la pasta de tomate. Por último, agregue la pasta cocida y cubra con una tapa y baje el fuego a bajo.
4. Precaliente la freidora de aire a 390° F.
5. Moldee la masa en bolitas; aplánelos con un rodillo. Ponga el relleno de pasta sobre las envolturas y doble los bordes opuestos juntos — selle los bordes con agua.
6. Coloque en la Air Fryer y cocine durante 15 minutos hasta que estén doradas. Retirar y servir caliente con una salsa.

99. Tater Tots caseros

Tiempo total: 20 minutos

Tiempo de preparación: 10 minutos

Tiempo de cocción: 10 minutos

Rinde: 2 porciones

Ingredientes:

- 1 papa rojiza mediana, picada
- 1 cucharadita de cebolla molida
- 1 cucharadita de aceite vegetal
- ½ cucharadita de pimienta negra molida
- Sal al gusto

Instrucciones:

1. Hervir las papas hasta que estén un poco más al dente. Escurrir el agua, agregar la cebolla, aceite y pimiento, y triturar con la mezcla.
2. Precaliente la freidora de aire a 379° F.
3. Moldee las patatas en tater tots con el puré. Colóquelos en la freidora y hornee por ocho minutos. Agite los tots y hornee por 5 minutos más.

100. Frittata de champiñones, cebollas y queso feta

Tiempo total: 20 minutos

Tiempo de preparación: 10 minutos

Tiempo de cocción: 10 minutos

Rinde: 2 porciones

Ingredientes:

- 4 tazas de champiñones, limpios y cortados finamente en ¼ de pulgada
- 6 huevos
- 1 cebolla morada, pelada y cortada en rodajas finas en ¼ de pulgada
- 6 cucharadas de queso feta, desmenuzado
- 2 cucharadas de aceite de oliva
- 1 pizca de sal

Instrucciones:

1. En una sartén, aplique el aceite de oliva y revuelva las cebollas y los champiñones hasta que estén tiernos a presión media. Retirar del fuego sobre un paño de cocina seco y enfriar.
2. Precaliente la freidora de aire a 330° F. Agregue un toque de sal para batir bien los huevos en un bol.
3. Vierta los huevos batidos en el interior y la parte inferior de un recipiente para hornear de 8 pulgadas, aplique la mezcla de cebolla y champiñones y luego agregue el queso.

4. Coloque el recipiente en la canasta de cocción y cocine en la Air Fryer durante 27 a 30 minutos o hasta que al insertar un cuchillo en el medio de la frittata salga limpio.

101. Ensalada de verduras con pimiento asado

Tiempo total: 20 minutos

Tiempo de preparación: 10 minutos

Tiempo de cocción: 10 minutos

Rinde: 2 porciones

Ingredientes:

- 1½ onzas de yogur
- 1 pimiento rojo mediano
- 2 onzas de hojas de rúcula
- 3 cucharadita de jugo de limón
- 1 lechuga romana
- 1 onza de aceite de oliva
- Pimienta negra molida y sal al gusto

Instrucciones:

1. Caliente la freidora a 392 grados F y ponga el pimiento en ella. Ase hasta que esté un poco carbonizado durante 10 minutos. Ponga el pimiento en un plato, cúbralo y déjelo por 15 minutos aproximadamente.
2. Divida el pimiento en cuatro partes, quitar la piel y las semillas y cortar en tiras finas.
3. En un tazón, mezcle cuidadosamente el jugo de limón, el aceite de oliva y el yogur. Según sea necesario, agregue sal y pimienta y revuelva.
4. Agregue la mezcla de yogur al brócoli y las tiras de pimiento y revuelva para combinar.

Conclusión

Las Air Fryer o freidoras de aire son increíbles tanto para la alimentación como para la salud. Este libro es una recopilación de increíbles recetas desayuno, almuerzo, carne, vegetarianos, bocadillos y postres que puede preparar en casa con la freidora y disfrutar con su familia.

DIETA KETO PARA MUJERES MAYORES DE 50

La dieta cetogénica completa paso por paso para aprender a cómo perder peso fácilmente para la mujer

Por Jason Smith

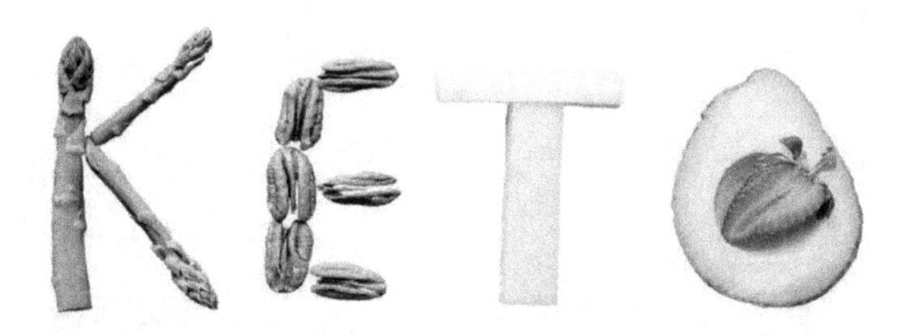

© Copyright 2021 por (Jason Smith) - todos los derechos reservados.

Este documento está orientado a brindar información exacta y confiable con respecto al tema tratado. La publicación se vende con la idea de que el editor no está obligado a prestar servicios contables, autorizados oficialmente o de otro modo calificados. Si es necesario un consejo, legal o profesional, se debe solicitar a una persona con práctica en la profesión.

- De una declaración de principios que fue aceptada y aprobada igualmente por un comité de la asociación de abogados estadounidenses y un comité de editoriales y asociaciones.

De ninguna manera es legal reproducir, duplicar o transmitir cualquier parte de este documento, ya sea en medios electrónicos o en formato impreso. La grabación de esta publicación está estrictamente prohibida y no se permite el almacenamiento de este documento a menos que se cuente con el permiso por escrito del editor. Todos los derechos reservados.

La información proporcionada en este documento se declara veraz y coherente, en el sentido de que cualquier responsabilidad, en términos de falta de atención o de otro tipo, por cualquier uso o abuso de las políticas, procesos o instrucciones contenidas en el mismo, es responsabilidad exclusiva y absoluta del lector receptor. Bajo ninguna circunstancia se imputará al editor ninguna responsabilidad legal o culpa por reparación, daños o pérdidas monetarias debido a la información contenida en este documento, ya sea directa o indirectamente.

Los respectivos autores poseen todos los derechos de autor que no pertenecen al editor.

La información contenida en este documento se ofrece únicamente con fines informativos y es universal como tal. La presentación de la información es sin contrato ni ningún tipo de garantía.

Las marcas comerciales son utilizadas sin ningún consentimiento y la publicación de la marca comercial se realiza sin el permiso o el respaldo del propietario de la marca comercial. Todas las marcas comerciales y marcas incluidas en este libro se incluyen únicamente con fines aclaratorios y son propiedad de los propios propietarios, no están afiliadas a este documento.

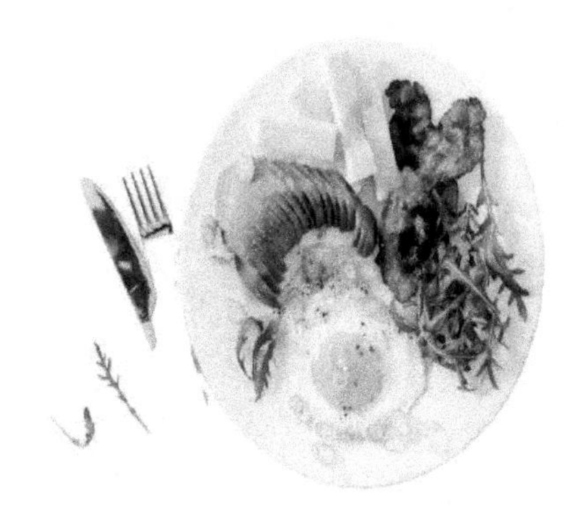

Introducción

La dieta keto es una dieta que tiene valores de grasa más altos y otros más bajos. Disminuye los niveles de glucosa e insulina y cambia la digestión del cuerpo lejos de los carbohidratos y más hacia las grasas y las cetonas. Una palabra que se usa en una dieta baja en carbohidratos es "cetogénica". El concepto es proporcionar más calorías de grasas y proteínas y pocas de azúcares. El consumo de una dieta baja en azúcares, adecuada en proteínas, se utiliza en medicina para lograr el difícil (inestable) control de la epilepsia en los jóvenes. En lugar de azúcar, la dieta permite que el cuerpo ingiera grasas. Por lo general, los almidones nutritivos se convierten en azúcar, que luego se distribuirá por todo el cuerpo y es particularmente importante para completar el trabajo de la mente. La dieta keto puede provocar una enorme disminución de los niveles de glucosa e insulina.

Cómo la comida afecta tu cuerpo

Nuestros procesos metabólicos sobreviven si no obtenemos los detalles correctos y nuestro bienestar disminuye. Podemos tener sobrepeso, desnutrición y estar en riesgo de empeorar enfermedades y trastornos, como enfermedades inflamatorias, diabetes y enfermedades cardiovasculares, si las mujeres obtienen una cantidad no saludable de nutrientes esenciales o nutrientes que proporcionan a su cuerpo una guía inadecuada. Los suplementos dietéticos permiten que las células de nuestro cuerpo cumplan con sus capacidades esenciales. Esta cita de un conocido libro de ejercicios muestra cómo los suplementos dietéticos son importantes para nuestro trabajo físico. Los suplementos son las sustancias nutritivas necesarias para el crecimiento, desarrollo y apoyo de las capacidades del cuerpo. Fundamental afirmó que cuando un suplemento está ausente, la capacidad se reduce y, por lo tanto, disminuye la salud humana. Los procesos metabólicos se retrasan cuando la ingesta de suplementos por lo general puede no cumplir con los requisitos de suplemento de la actividad celular.

La dieta keto implica mantener una dieta relativamente baja en carbohidratos y alta en grasas para poner al cuerpo en un estado fisiológico llamado cetosis. Esto hace que la ingesta de grasas sea cada vez más productiva para la salud. Al comenzar la dieta keto, esta puede inducir una disminución en el impulso, ya que la persona que hace dieta sufrirá los efectos secundarios de la eliminación de carbohidratos y posiblemente la influenza baja en carbohidratos. Siempre que los síntomas de desintoxicación y similares a los de la influenza hayan desaparecido, y la persona que hace dieta haya pasado a una forma de vida reducida, lo que lleva a la pérdida de peso de la dieta, el carisma con toda probabilidad se restablecerá y probablemente será comparable con el de antes. Aunque la orientación del manejo de la dieta tiene mucha credibilidad en la corriente principal, en otras palabras, la suplementación brinda consejos a nuestro cuerpo sobre cómo funcionar. En este sentido, la nutrición puede verse como una fuente de "información para el cuerpo". Reflexionar sobre los alimentos de esta manera le da a uno una visión de la nutrición más allá de las calorías o gramos, fuentes fantásticas de alimentos o malas fuentes de alimentos. En lugar de evitar las fuentes de alimentos, esta perspectiva nos empuja a reflexionar sobre los nutrientes que podemos agregar. En lugar de considerar la nutrición como el enemigo, miremos la nutrición para mejorar la salud y reducir la enfermedad haciendo que el cuerpo se ocupe de la capacidad.

Enfermedad renal y cardíaca

Cuando el cuerpo tiene bajos niveles de electrolitos y líquidos debido al aumento de la orina, puede producirse una pérdida de electrolitos, como magnesio, sodio y potasio. Esto hará que las personas estén propensas a sufrir problemas renales graves. Esto no es una broma y puede provocar mareos, daño al riñón o problemas renales. Al igual que los electrolitos son esenciales para el ritmo cardíaco estándar, esto puede poner a quien hace dieta en riesgo de arritmia cardíaca. "La falta de electrolitos no es broma, y esto puede provocar latidos cardíacos irregulares, que pueden ser perjudiciales".

Diseños de dieta Yo-yo

Cuando las personas encuentran dificultades para mantenerse en la dieta prohibitiva de forma indefinida, la dieta cetogénica también provocará una dieta yo-yo. Eso puede tener otros efectos adversos en el cuerpo.

Otros efectos

Otras respuestas pueden incluir un aliento terrible, fatiga, obstrucción, períodos menstruales irregulares, reducción de la densidad ósea y problemas para descansar. Incluso en su mayor parte, otras consecuencias no se consideran tanto, ya que es imposible observar a las personas que hacen dieta a largo plazo para descubrir los efectos permanentes del horario de comidas.

Preocupaciones

"Todavía existe el temor entre los profesionales de la salud de que ciertas ingestas elevadas de grasas extremadamente poco saludables tengan un efecto negativo a largo plazo". La pérdida de peso también, por el momento, complicará los datos. A medida que las personas con sobrepeso se ponen en forma, prestando menos atención a cómo lo hacen, a veces terminan con perfiles de lípidos y niveles de glucosa en sangre mucho mejores.

En comparación, la dieta cetogénica es extremadamente baja en ingredientes naturales particulares, frutas, nueces y verduras que son tan nutritivas como un todo. Sin estos suplementos, la fibra, algunos carbohidratos, los minerales, incluidos los fitoquímicos que acompañan a estos alimentos, se trasladarán a las personas en dieta. A largo plazo, esto tiene consecuencias para la salud pública, como la degradación ósea y un mayor riesgo de infinitas enfermedades.

Sodio

La mezcla de sodio (sal), grasa, azúcar, incluidos los racimos de sodio, hará que la comida barata sea más deliciosa para muchas personas. Sin embargo, las dietas ricas en sodio desencadenarán la retención de líquidos, por lo que puede sentirse inflado, hinchado o lleno como consecuencia de consumir alimentos baratos. Para quienes tienen problemas con el pulso, una dieta rica en sodio también es perjudicial. El sodio puede aumentar el estrés circulatorio y agregar peso a la estructura cardiovascular. Una encuesta revela que un porcentaje de los adultos pierden la cantidad de sal que contienen sus comidas asequibles. El estudio observó a 993 adultos y descubrió que la predicción inicial era a menudo menor que la cifra real (1.292 mg). Esto sugiere que los medidores de sodio en abundancia de 1,000 mg están ausentes. Una comida asequible podría valer una parte significativa de su día.

Impacto en el sistema respiratorio

Una sobreabundancia de calorías puede contribuir al aumento de peso de los alimentos baratos. Esto aumentará el peso. La obesidad crea el riesgo de enfermedades respiratorias, incluido el asma con dificultad para respirar. Los kilos de más pueden ejercer presión sobre el corazón y los pulmones y, con poca intervención, pueden producirse efectos secundarios. Cuando camina, sube escaleras o hace ejercicio, puede notar problemas para respirar. Para los jóvenes, la posibilidad de problemas respiratorios es especialmente obvia. Una investigación mostró que los jóvenes que consumen alimentos baratos al menos tres días a la semana están destinados a desarrollar asma.

Impacto en el sistema sensorial focal

Por el momento, la comida barata puede satisfacer el hambre; sin embargo, los efectos a largo plazo son más perjudiciales. Las personas que consumen alimentos baratos y productos de panadería procesados tienen un 51 por ciento de probabilidades de generar depresión que las personas que no comen ni comen ninguno de esos alimentos.

Impacto en el sistema hormonal

Las fijaciones en alimentos baratos y mala alimentación pueden afectar su dinero. Un análisis mostró que los ftalatos están presentes en los alimentos preparados. Los ftalatos son compuestos sintéticos que pueden alterar la forma en que funcionan las hormonas de su cuerpo. La introducción de cantidades sustanciales de estos sintéticos, como las fugas al nacer, podría provocar problemas de regeneración.

Impacto en el sistema tegumentario (piel, cabello, uñas)

La comida que consume puede afectar la apariencia de su piel, pero no será la comida que imagina. La responsabilidad de los brotes de resequedad de la piel ha sido tradicionalmente atribuida a los dulces y los alimentos pegajosos como la pizza. Sin embargo, según la *Mayo Clinic*, también los almidones. Los alimentos ricos en carbohidratos provocan saltos de glucosa, y estos saltos repentinos en los niveles de glucosa pueden inducir inflamación de la piel. Además, como muestra una investigación, se espera que los jóvenes y las mujeres jóvenes que consumen alimentos baratos tres días a la semana, provoquen inflamación en la piel. La dermatitis es una enfermedad de la piel que causa manchas cutáneas secas e irritadas que se agravan.

Impacto en el sistema esquelético (huesos)

Los ácidos en la boca pueden agrandarse por los carbohidratos y el azúcar en alimentos baratos y alimentos tratados. Estos ácidos pueden distinguir la laca dental. Los microorganismos pueden afianzarse cuando desaparece la carilla del diente y pueden producirse depresiones. El peso también provocará problemas con el grosor y el volumen de los huesos. La probabilidad más grave de caerse y romperse huesos es para las personas con sobrepeso. Es importante continuar entrenando, desarrollar los músculos que sostienen los huesos y mantener una dieta balanceada para prevenir la pérdida ósea. Una investigación mostró que la medición de calorías, azúcar y sodio en las comidas baratas permanece, en gran medida, constante debido a los intentos de sacar a la luz los problemas y hacer que las mujeres sean consumidoras más inteligentes. A medida que las mujeres estén más ocupadas y salgan a comer con más frecuencia, podría tener efectos antagónicos sobre ellas y la estructura de atención médica de Estados Unidos.

Capítulo 1: La dieta keto y sus beneficios

En el caso de una dieta cetogénica, el objetivo es restringir la ingesta de carbohidratos para descomponer las grasas y obtener energía. Cuando esto ocurre, para producir cetonas que son subproductos del metabolismo, el hígado descompone la grasa. Estas cetonas se utilizan en ausencia de glucosa para calentar el cuerpo. Una dieta cetogénica lleva al cuerpo a un modo de "cetosis". Una condición metabólica que ocurre cuando los cuerpos cetónicos en la sangre contienen la mayor parte de la energía del cuerpo en lugar de la glucosa de los alimentos producidos por carbohidratos (como los granos, todas las fuentes de azúcar o frutas). Esto se compara con un trastorno glucolítico, donde la glucosa en sangre produce la mayor parte de la energía del cuerpo.

102. 1.1. La dieta keto y su éxito

La dieta keto o también conocida como "cetogénica", tiene éxito en muchos estudios, especialmente entre hombres y mujeres obesos. Los resultados sugieren que esta dieta puede ayudar a manejar situaciones como:

- Obesidad.
- Enfermedades del corazón.

Es difícil relacionar la dieta cetogénica con los factores de riesgo de enfermedades cardiovasculares. Varios estudios han demostrado que las dietas cetogénicas pueden contribuir a reducciones sustanciales del colesterol general, aumentos en los niveles de colesterol HDL (buenos), disminuciones en los niveles de triglicéridos y disminuciones en los niveles de colesterol LDL (malos), así como posibles cambios en los niveles de presión arterial.

- Trastornos neurológicos, como Alzheimer, demencia, esclerosis múltiple y Parkinson.
- El síndrome de ovario poliquístico (SOP), entre las mujeres en edad reproductiva, es la afección endocrina más prevalente.
- Ciertas formas de cáncer, incluidos los cánceres de hígado, colon, páncreas y ovarios.
- Diabetes tipo 2. Entre los diabéticos tipo 2, también puede minimizar la necesidad de medicamentos.
- Síntomas de epilepsia y convulsiones.
- Y otros.

103. 1.2. Por qué hacer la dieta cetogénica

Al agotar el cuerpo de su almacenamiento de azúcar, la dieta cetogénica trabaja para comenzar a clasificar las grasas y proteínas para la vitalidad, induciendo la cetosis (y pérdida de peso).

1. Ayuda a perder peso

Para convertir la grasa en vitalidad, se necesita más esfuerzo del que se necesita para convertir los carbohidratos en vitalidad. Una dieta cetogénica en este sentido puede ayudar a acelerar la pérdida de peso. En comparación, debido a que la dieta es rica en proteínas, no te deja con hambre como la mayoría de las dietas. Cinco hallazgos revelaron una enorme pérdida de peso con una dieta cetogénica en un metaexamen de 13 preliminares controlados aleatorios complejos.

2. Disminuye las erupciones cutáneas

Existen diferentes causas para el brote de la piel, y se pueden establecer alimentos y glucosa. Comer una dieta balanceada de azúcares preparados y refinados puede alterar los microorganismos intestinales y enfatizar variaciones sensacionales en la glucosa, las cuales afectarían la salud de la piel. Por lo tanto, no es sorprendente que una dieta cetogénica pueda reducir algunos casos de inflamación de la piel al disminuir la entrada de carbohidratos.

3. Puede ayudar a disminuir el peligro de malignidad

Se han realizado muchos estudios sobre la dieta cetogénica y cómo podría prevenir eficazmente o incluso curar esos crecimientos malignos. Una investigación mostró que la dieta cetogénica podría ser un tratamiento efectivo correspondiente con quimioterapia y radiación en personas con malignidad. Es porque puede causar más preocupación oxidativa que en las células normales de las células malignas.

Algunas hipótesis indican que puede disminuir los enredos de insulina, lo que podría estar relacionado con algunos cánceres porque la dieta cetogénica reduce la glucosa elevada.

4. Mejora la salud del corazón

Existe alguna indicación de que la dieta mejorará la salud cardíaca al reducir el colesterol al acceder a la dieta cetogénica de manera equilibrada (que considera a los aguacates como una grasa saludable en lugar de pieles de cerdo). Una investigación mostró que los niveles de colesterol LDL se expandieron fundamentalmente entre quienes adoptaron la dieta cetogénica. A su vez, el colesterol LDL disminuyó.

5. Puede asegurar el trabajo de la mente

Se necesitan más estudios sobre la dieta cetogénica e incluso la mente. Algunos estudios indican que la dieta cetogénica tiene efectos neuroprotectores. Estos pueden ayudar a tratar o reducir el Parkinson, el Alzheimer e incluso algunos problemas de descanso. Una investigación también mostró que los jóvenes habían aumentado su trabajo psicológico durante una dieta cetogénica.

6. Posiblemente reduce las convulsiones

La teoría de que la combinación de grasas, proteínas y carbohidratos modifica la forma en que el cuerpo utiliza la vitalidad, induciendo cetosis. La cetosis es un nivel anormal de cetona en la sangre. En personas con epilepsia, la cetosis provocará una reducción de las convulsiones.

7. Mejora la salud de las mujeres con SOP

Una condición endocrina que induce aumento de ovarios con espinillas es el trastorno de ovario poliquístico (SOP). Por el contrario, una dieta alta en azúcar puede afectar a las personas con SOP. Sobre la dieta cetogénica y el síndrome de ovario poliquístico, no hay muchas pruebas clínicas. Un estudio piloto en el que participaron cinco mujeres durante 24 semanas mostró que la dieta cetogénica:

- Ayudó al equilibrio hormonal
- Mejoró las proporciones de hormona luteinizante (ILH) / hormona estimulante del folículo (FSH)
- Incrementó la pérdida de peso
- Mejoró la insulina en ayunas

Para los niños que sufren los efectos adversos de un problema en particular (como la enfermedad de Lennox-gastaut o el trastorno de Rett) y no responden a la prescripción para las convulsiones, también se prescribe la dieta keto como lo sugiere la fundación de epilepsia.

Señalan que la cantidad de convulsiones que tuvieron estos niños puede reducirse en gran medida con la dieta keto, de un 10 a 15 por ciento. También puede ayudar a los pacientes a reducir la porción de su prescripción en algunas circunstancias. Sea como sea, la dieta cetogénica todavía tiene muchos ensayos efectivos para respaldar sus ventajas. Para los adultos con epilepsia, la dieta cetogénica también puede ser útil. Se consideró para ayudar a las personas con:

- Epilepsia
- Diabetes tipo 2
- Diabetes tipo 1
- Alta presión sanguínea
- Enfermedades del corazón

- Síndrome de ovario poliquistico
- Enfermedad del hígado graso
- Cáncer
- Migrañas
- Alzheimer
- Parkinson
- Inflamación crónica
- Niveles altos de azúcar en sangre
- Obesidad

La dieta cetogénica será beneficiosa, independientemente de si no corre peligro de sufrir alguno de estos trastornos. Algunas de las ventajas de las que disfruta la gran mayoría son:

- Un incremento de vitalidad
- Disposición del cuerpo mejorada
- Mejor trabajo del cerebro
- Una disminución en la agravación

Como debe quedar claro, la dieta cetogénica tiene una gran variedad de ventajas, pero ¿es preferible a otras dietas?

8. Tratamiento de la epilepsia — Los orígenes de la dieta cetogénica

Hasta algún momento de 1998, el análisis principal sobre la epilepsia y las dietas cetogénicas no estaba distribuida. De alrededor de 150 niños, casi cada uno de los cuales tenía varias convulsiones a la semana, a pesar de tomar dos medicamentos para la psicosis en cualquier situación. Los niños recibieron una dieta cetogénica inicial de un año. Alrededor del 34 por ciento de los infantes, o un poco más del 33 por ciento, tuvo una disminución del 90 por ciento en las convulsiones después de tres meses.

Se afirmó que la dieta saludable era "más factible que una gran cantidad de nuevos medicamentos anticonvulsivos y que las familias y los niños la soportan cuando es eficaz". No solo la dieta cetogénica fue de apoyo. Sin embargo, fue más útil que otros medicamentos que se utilizan habitualmente.

9. Mejora de la presión arterial con la dieta cetogénica

Una ingesta baja en azúcar es más eficaz para reducir el pulso que una dieta baja en grasas o moderada en grasas. La restricción de almidones a menudo proporciona resultados preferibles a la combinación de un régimen bajo en grasas y una pérdida de peso/pulso relajante.

10. El poder de mejorar la enfermedad de Alzheimer

Los pacientes con enfermedad de Alzheimer también están de acuerdo con la química orgánica: "la alta aceptación del azúcar profundiza el rendimiento académico en poblaciones de pacientes con enfermedad de Alzheimer".

Significa que se consumen más almidones en el cerebro. ¿Lo contrario (tratar de comer menos carbohidratos) mejorará el funcionamiento del cerebro?

Otros beneficios para la salud mental que tienen los cuerpos cetónicos:

- Previenen la pérdida neuronal.
- Aseguran sinapsis contra diversos tipos de daños.
- Ahorran trabajo neuronal.

104. 1.3. Los beneficios de la dieta cetogénica

La carta proporciona muchas ventajas sustanciales al elegir una dieta cetogénica para la diabetes. Vivir en un estado de cetosis estable provoca un cambio tremendo en la regulación de la glucosa en sangre y la pérdida de peso. Otras ventajas frecuentes proporcionadas incluyen:

- Mejoras en la afectabilidad de la insulina
- Menor tensión circulatoria
- Suelen mejorar los niveles de colesterol
- Menor dependencia del consumo de drogas

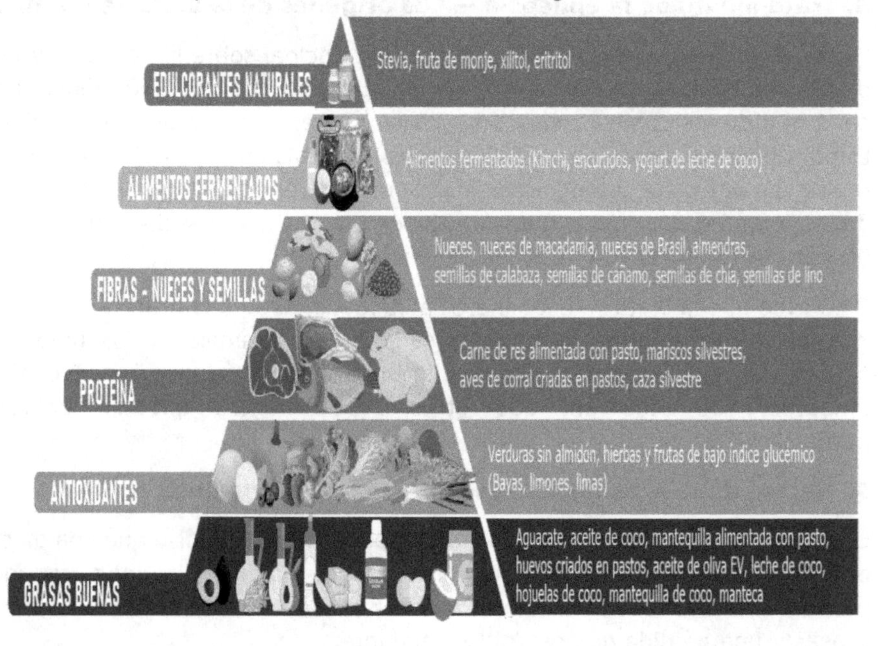

En este libro, te mostramos una breve ciencia detrás de la dieta cetogénica y cómo intenta brindar estos beneficios particulares.

1. Pérdida de peso y apoyo

El beneficio significativo de la dieta cetogénica es lograr una pérdida de peso acelerada, reduciendo los almidones necesarios para estar en un estado de cetosis, lo que provoca una disminución notable en los músculos frente a las grasas y un aumento y mantenimiento de la masa. Los estudios han demostrado que una dieta cetogénica baja en carbohidratos puede producir una duración total de pérdida de peso sólida. Durante un año, una persona grande tuvo la oportunidad de perder, en general, 15 kilogramos.

2. Control de glucosa en sangre

La otra razón principal para mantener una dieta cetogénica para las personas con diabetes es su capacidad para reducir y regular los niveles de glucosa. El sustituto (macronutriente) que más mejora la glucosa es el almidón. Dado que la dieta cetogénica es baja en almidón, se prescinde de los mayores aumentos de glucosa. Las dietas cetogénicas demuestran que son eficaces para reducir el hba1c, un porcentaje de regulación de la glucosa en sangre a largo plazo. Una disminución natural de 17 mmol/mol (1,5 por ciento) en los niveles de hba1c para personas con diabetes tipo 2. Las personas con otras formas de diabetes, como diabetes y LADA, también pueden esperar ver una fuerte disminución en los niveles de glucosa y aumentar el control. Recuerde que, si se mantiene un aumento en la regulación de la glucosa en sangre durante diferentes años, esto reducirá las complicaciones. Es necesario ir a lo seguro para quienes toman insulina o corren riesgo de hipoglucemia, para evitar la incidencia de hipoglucemias.

Disminuir la dependencia de los medicamentos para la diabetes. Dado que es tan eficaz para reducir los niveles de glucosa, la dieta cetogénica proporciona el beneficio adicional de permitir que las personas con diabetes tipo 2 disminuyan su dependencia de los medicamentos para la diabetes. Las personas que toman insulina y otras prescripciones para la hipertensión (sulfonilureas y glinidas, por ejemplo) pueden necesitar reducir sus porciones antes de iniciar una dieta cetogénica para evitar la hipotensión. Para obtener asesoramiento sobre esto, comuníquese con su proveedor de atención primaria.

3. Afectabilidad de la insulina

Para restaurar aún más la afectación de la insulina, ha surgido la dieta cetogénica, ya que prescinde de la causa principal de la obstrucción de la insulina, que son los niveles demasiado altos de insulina en el torrente sanguíneo. Esta dieta avanza los períodos de apoyo con baja insulina, ya que los niveles bajos de carbohidratos indican niveles más bajos de insulina. Una dieta alta en almidón se asemeja a poner petróleo en el fuego como obstrucción de la insulina. Una necesidad más influyente de insulina está indicada por un nivel elevado de azúcar, y esto agrava la oposición a la insulina. Una dieta cetogénica, por correlación, reduce los niveles de insulina ya que la grasa es el macronutriente que menos insulina requiere. En comparación, reducir los niveles de insulina también ayuda con la ingesta de grasas, siempre que los niveles elevados de insulina inhiban la degradación de las grasas. El cuerpo diferenciará las células grasas en el punto en que los niveles de insulina disminuyen durante varias horas.

4. Control de la hipertensión

Se estima que 16 millones de personas en el Reino Unido padecen hipertensión. La hipertensión, por ejemplo, enfermedad cardiovascular, accidente cerebrovascular y enfermedad renal, está relacionada con el alcance de los trastornos de salud. Diferentes estudios han demostrado que una dieta cetogénica puede reducir los niveles de estrés circulatorio en personas con sobrepeso o diabetes tipo 2. También es parte del desequilibrio metabólico.

5. Niveles de colesterol

En su mayor parte, las dietas cetogénicas reducen los niveles de colesterol. Los niveles de colesterol LDL generalmente se reducen y los niveles de colesterol HDL aumentan, lo cual es saludable. La cantidad de colesterol absoluto a HDL es posiblemente la proporción más comprobada de colesterol seguro. Puede detectarse eficazmente tomando el resultado de colesterol completo y dividiéndolo por su resultado de HDLS. Indica colesterol bueno, en la remota posibilidad de que la cantidad que ingiera sea 3,5 o menos. Los hallazgos del estudio sugieren que las dietas cetogénicas normalmente son posibles para aumentar esta proporción de colesterol bueno.

Después de comenzar una dieta cetogénica, algunas personas pueden mostrar una expansión en el LDL y el colesterol total. Generalmente se toma como un mal indicador, pero esto no habla de agravar la salud del corazón si la proporción de colesterol absoluto a HDL es apropiada.

El colesterol es un tema confuso, y si sus niveles de colesterol esencialmente cambian con una dieta cetogénica.

6. Resultados mentales más simples

Otras ventajas de comer una dieta cetogénica son la percepción emocional, una mayor capacidad para centrarse y una memoria superior. Ampliar la admisión de grasas saludables omega-3, como las presentes en pescados resbaladizos como el salmón, mejorará el estado mental y la capacidad de leer. Esto se debe a que el omega-3 extiende una grasa insaturada llamada DHAS, que constituye del 15 al 30 por ciento del cerebro de las mujeres. El descubrimiento del beta-hidroxibutirato, un tipo de cetona, permite facilitar el trabajo de la memoria a largo plazo.

7. Saciedad

Los efectos de las dietas cetogénicas impactan en la desnutrición. A medida que el cuerpo responde al estado de cetosis, se aclimata para obtener vitalidad a partir de la diferenciación de la proporción de músculo a grasa, lo que aliviará el apetito y los antojos.

Es posible:

- Reducir los antojos
- Reducir la inclinación por los alimentos azucarados
- Ayudar a sentirse lleno

La pérdida de peso también reducirá los niveles de leptina atribuibles a una dieta cetogénica, lo que aumentará la afectabilidad de la leptina y, por lo tanto, ganará saciedad.

105. 1.4. Lista de compras Keto

Un horario de comidas de la dieta cetogénica para mujeres mayores de 50 años y un menú que transformará el cuerpo. En términos generales, la dieta cetogénica es baja en carbohidratos, alta en grasas y moderada en proteínas. Al adoptar una dieta cetogénica, los carbohidratos se reducen rutinariamente a menos de 50 gramos todos los días, pero existen adaptaciones más estrictas y flexibles de la dieta.

- Las proteínas pueden simbolizar alrededor del 20 por ciento de los requisitos de fuerza, mientras que los carbohidratos generalmente están restringidos al 5 por ciento.
- El cuerpo retiene su grasa para que este la utilice como producción de energía.

La mayoría de los carbohidratos cortados deben ser reemplazados por grasas y transportar alrededor del 75% de su ingesta calórica total.

El cuerpo procesa las cetonas, las partículas liberadas del colesterol en la sangre y la glucosa mientras está en cetosis, como otra fuente de energía.

Debido a que la grasa siempre se mantiene a una distancia estratégica de su contenido poco saludable, la investigación demuestra que la dieta cetogénica es esencialmente mejor que las dietas bajas en grasas para avanzar en la reducción de peso.

Por el contrario, las dietas cetogénicas minimizan el deseo y mejoran la saciedad, lo que es especialmente útil para ponerse en forma.

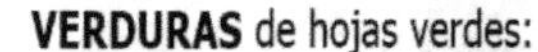

Dieta Keto - Lista de compras

Cortes grasos de **PROTEÍNA:**

1. CARNE MOLIDA - FILETE DE LOMO
2. PANZA DE CERDO ASADO + TOCINO
3. SALCHICHA DE CARNE O CERDO
4. SALMÓN
5. SARDINAS O ATÚN
6. MUSLOS O PIERNAS DE POLLO
7. PIERNAS DE PAVO
8. FILETES DE CIERVO
9. HUEVOS
10. HUEVOS DE PATO

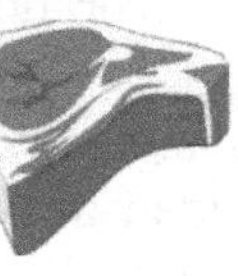

VERDURAS de hojas verdes:

1. BRÓCOLI
2. COLIFLOR
3. JUDÍAS VERDES
4. COLES DE BRUSELAS
5. COL RIZADA
6. ESPINACAS
7. ACELGA
8. REPOLLO
9. APIO BOK
10. CHOY
11. RÚCULA
12. ESPÁRRAGOS
13. CALABACÍN
14. CALABAZA AMARILLA
15. CHAMPIÑONES
16. OLIVOS
17. ALCACHOFA
18. PEPINOS
19. CEBOLLAS
20. AJOS
21. OKRA

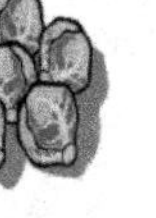

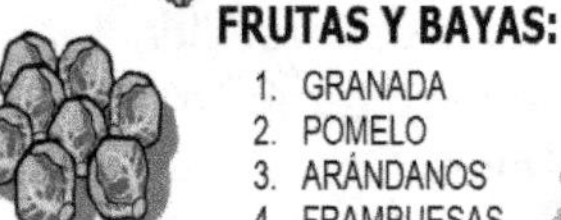

NUECES Y SEMILLAS:

1. NUECES DE MACADAMIA
2. NUECES DE BRASIL + MANTECA
3. PECANAS + MANTECA
4. NUECES
5. SEMILLAS DE CALABAZA
6. ALMENDRAS + MANTECA

FRUTAS Y BAYAS:

1. GRANADA
2. POMELO
3. ARÁNDANOS
4. FRAMBUESAS
5. LIMÓN
6. LIMA
7. AGUACATE

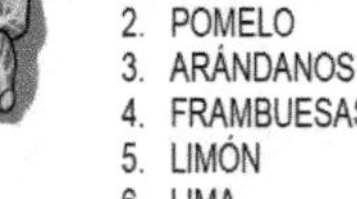

GRASAS:

1. MANTEQUILLA
2. ACEITE DE OLIVA
3. ACEITE DE COCO
4. MANTECA DE COCO
5. ACEITE MCT
6. AGUACATE
7. GHEE
8. GRASA DE TOCINO
9. ACEITE DE AGUACATE

MISCELÁNEOS:

1. HARINA DE COCO
2. MANTECA DE COCO
3. 85% DE CHOCOLATE NEGRO
4. CORTEZAS DE CERDO
5. CREMA DE COCO
6. HOJUELAS DE COCO

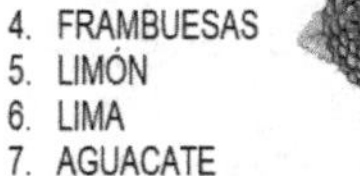

106. 1.5. Alimentos cetogénicos para comer

Las comidas y bocados deben basarse en la nutrición que las acompaña cuando se sigue una dieta cetogénica:

Huevos: los huevos de pastoreo son la mejor opción.

Carne: venado, cerdo, vísceras y búfalo.

Lácteos enteros: yogur, nata y margarina.

Cheddar con toda la grasa: Cheddar, mozzarella, brie, cheddar de cabra y crema de cheddar.

Nueces y semillas: almendras, nueces, nueces de macadamia, cacahuetes, semillas de calabaza y semillas de lino.

Aves de corral: pavo y pollo.

Pescado graso: salmón salvaje, arenque y caballa

Margarina de nueces: Cremas para untar naturales de nueces, almendras y anacardos.

Vegetales: brócoli, cebollas, champiñones y pimientos.

Condimentos: sal, pimienta, jugo de limón, vinagre, aromas y hierbas crujientes.

Grasas: aceite de coco, aceite de oliva, margarina de coco, aceite de aguacate y aceite de sésamo.

Aguacates: es posible añadir aguacates enteros a prácticamente cualquier festín o bocado.

107. 1.6. Alimentos a evitar

Aunque adopte una dieta cetogénica, manténgase alejado de los nutrientes ricos en carbohidratos.

Es importante restringir los nutrientes que lo acompañan:

- **Bebidas azucaradas:** cerveza, jugos, tés y bebidas deportivas.
- **Pastas:** fideos y espaguetis.
- **Granos:** maíz, arroz, guisantes, avena para el desayuno.
- **Verduras con almidón:** calabaza, papas, frijoles, camote y guisantes.
- **Frijoles:** garbanzos, frijoles negros, frijoles y lentejas.
- **Frutas:** cítricos, manzanas, piña y plátanos.
- **Salsas con alto contenido de carbohidratos:** salsa BBQ, aderezos de azúcar con verduras mixtas.
- **Productos horneados y de pan:** pan blanco, pan integral, barquillos, galletas, rosquillas, panecillos, etc.
- **Dulces y alimentos dulces:** miel, leche helada, caramelos, sirope de chocolate, sirope de agave, azúcar de coco.
- **Refrescos combinados:** cócteles con mezcla de azúcar y cerveza.

Sobre la suposición de que los carbohidratos deben ser productos orgánicos pequeños de bajo índice glucémico, por ejemplo, cuando se sirve un ceto-macronutriente, se unta, las bayas pueden satisfacerse con cantidades restringidas. Asegúrese de elegir fuentes seguras de proteínas y elimine las fuentes de alimentos procesados y grasas malas.

También vale la pena mantener lejos:

1. **Nutrientes de la dieta:** alimentos que contienen tonos falsificados, contaminantes y carbohidratos, como aspartamo y alcoholes de azúcar.
2. **Grasas no saludables:** como el maíz y el aceite de canola, incluyen manteca vegetal, margarina y aceites de cocina.
3. **Alimentos procesados:** comidas rápidas, paquetes de alimentos y carnes congeladas, como salchichas y carnes para el almuerzo.

108. 1.8. Plan de dieta cetogénica de una semana

(Día 1): lunes

Desayuno: Huevos fritos en mantequilla sazonada y servidos sobre vegetales.

Almuerzo: una hamburguesa de hierba reforzada con aguacate, champiñones y queso cheddar en una bandeja de verduras.

Cena: Chuletas de cerdo y frijoles salteados en aceite vegetal.

(Día 2): martes

Desayuno: Tortilla de setas.

Almuerzo: salmón, vegetales mezclados, tomate y apio en hojas verdes.

Cena: Pollo asado y coliflor salteada.

(Día 3): miércoles

Desayuno: queso cheddar, huevos y pimientos morrones.

Almuerzo: Verduras mezcladas con huevos duros, aguacate, pavo y queso cheddar.

Cena: Salmón frito salteado en aceite de coco.

(Día 4): jueves

Desayuno: Granola con yogur natural mejorado.

Almuerzo: Tazón de bistec con queso cheddar, arroz con coliflor, albahaca, aguacate y salsa.

Cena: Filete de bisonte y coliflor blanda.

(Día 5): viernes

Desayuno: Pontones de huevo de aguacate (horneados).

Almuerzo: Pollo servido con ensalada César.

Cena: Cerdo, con verduras.

(Día 6): sábado

Desayuno: Aguacate y queso cheddar con coliflor.

Almuerzo: Hamburguesas de salmón sin pan.

Cena: queso cheddar, parmesano con fideos cubiertos con albóndigas.

(Día 7): Domingo

Desayuno: Leche de almendras, nueces y budín de chía.

Almuerzo: Ensalada Cobb de verduras, huevos duros, mango, queso cheddar y pavo.

Cena: pollo al curry.

Este capítulo le brindará una visión detallada de los problemas de salud de las mujeres mayores de 50 años.

109. 2.1. Menopausia

La madurez saludable incluye grandes propensiones, como comer de manera saludable, evitar errores regulares en las recetas, controlar las condiciones de salud, recibir evaluaciones sugeridas o ser dinámica. Ser más experimentada implica cambios, tanto negativos como positivos, pero puedes admirar la madurez si tienes la mínima oportunidad de comprender las cosas nuevas de tu cuerpo y encontrar la manera de mantener tu salud. A medida que envejeces, tu cuerpo sufre una amplia gama de cosas. Inesperadamente, tu piel, huesos e incluso tu cerebro pueden dejar a funcionar. Trata de no dejar que los avances que acompañan a la edad adulta te tomen por sorpresa.

Aquí hay un segmento:

1. Los huesos: En la edad madura, los huesos pueden volverse delgados y progresivamente más débiles, especialmente en las mujeres, lo que lleva a la delicada enfermedad ósea conocida como osteoporosis de vez en cuando. La disminución de los huesos y la disminución de la masa ósea pueden ponerlo en riesgo de sufrir caídas que pueden ocurrir en los huesos rotos sin un gran resultado de estiramiento. Asegúrese de hablar con su médico sobre lo que puede hacer para prevenir caídas y osteoporosis.

2. El corazón: si bien una dieta saludable y el ejercicio normal pueden mantener su corazón sano, puede resultar algo amplificado, reduciendo su pulso y engrosando los divisores del corazón.

3. El sistema sensorial y la mente: puede desencadenar cambios en sus reflejos e incluso en sus habilidades al volverse más madura. Si bien la demencia ciertamente no es un resultado común de la edad madura, las personas deben experimentar una ligera pérdida de memoria a medida que se vuelven más expresivas. La formación de placas y ovillos, anomalías que en última instancia podrían conducir a la demencia, pueden dañar las células del cerebro y los nervios.

4. El estómago: una estructura asociada con su estómago. A medida que envejece, resulta que su estómago es aún más firme e inflexible y no se contrae con tanta frecuencia. Por ejemplo, el dolor de estómago, la obstrucción y la sensación de náuseas pueden provocar problemas con este cambio; una dieta superior puede ayudar.

5. Las habilidades: puede ver que su audición y visión no sean tan buenas como antes. Quizás empieces a perder el sentido del gusto. Es posible que los sabores no le parezcan exclusivos. Su olfato y experiencia en el tacto también pueden debilitarse. Para responder, el cuerpo requiere más tiempo y necesita más para revitalizarlo.

6. Los dientes: A lo largo de los años, la intensa capa que protege sus dientes de la pudrición comenzará a erosionarse, lo que lo expondrá a los hoyos. Asimismo, la lesión de las encías es un problema para los adultos más desarrollados. Debes garantizar una gran limpieza a tus dientes y encías. La boca seca, que es un síntoma común de los múltiples medicamentos de las personas mayores, también puede ser motivo de preocupación.

7. La piel: su piel pierde su versatilidad a una edad madura y puede tender a caerse y arrugarse. No obstante, cuanto más se cubriera la piel cuando era más joven debido a la exposición al sol y al humo, más saludable se vería su piel a medida que madurara. Comience a proteger su piel ahora mismo para evitar más lesiones, como una neoplasia maligna de la piel.

8. La convivencia sexual: Cuando termina la menstruación después de la menopausia, muchas mujeres experimentan cambios físicos como la pérdida de aceite vaginal. Los hombres pueden padecer de disfunción eréctil. Afortunadamente, es posible manejar los dos problemas con éxito.

Una parte normal de envejecer es una serie de mejoras sustanciales, pero no es necesario que lo respalden. Además, debe hacer mucho para proteger su cuerpo y mantenerlo tan estable como podría imaginar, dadas las circunstancias.

110. 2.2. Claves para envejecer bien

Aunque una buena vejez debe preservar su condición física, también es vital apreciar la madurez y el crecimiento que adquiere con los años propicios. Está bien ensayar propensiones saludables durante un período, pero nunca está más allá del punto de no retorno para obtener los beneficios de tenerse muy en cuenta a sí mismo, incluso a medida que se envejece más.

Aquí hay algunos consejos de vejez saludable en cada momento de la vida que son una palabra de sabiduría:

- Manténgase dinámico físicamente con un entrenamiento normal.
- Sea social con sus seres queridos y dentro de su localidad.
- Consuma una dieta equilibrada y bien ajustada, dejando los alimentos de baja calidad para consumir alimentos bajos en grasas, ricos en fibra y bajos en colesterol.
- No se olvide de sí mismo: la visita a su proveedor de atención primaria, cirujano dental y optometrista durante esta etapa es cada vez más relevante.
- Tomar todos los medicamentos como coordina el proveedor de atención primaria.
- Limite el consumo de licor y elimine el humo.
- Reciba el descanso que su cuerpo desea.

Por último, es necesario lidiar con tu yo físico durante mucho tiempo, pero es vital que aún estés pendiente de tu apasionada salud. Reciba y disfrute de las recompensas de su larga vida todos los días. Es la oportunidad perfecta para disfrutar de una mejor salud y placer.

1. Sigue una dieta saludable

Para un mejor desarrollo, una excelente nutrición y saneamiento son especialmente críticos. Debe asegurarse regularmente de comer una dieta equilibrada y personalizada. Para ayudarte a decidir sobre opciones de dietas y practicar una nutrición saludable, sigue estas pautas.

2. Mantente alejada de los errores comunes de medicación

Los medicamentos pueden curar problemas de salud y permitirle seguir llevando una vida larga y estable. Los medicamentos también pueden causar problemas de salud reales en la etapa en que se usan indebidamente. Para ayudarte a tomar decisiones importantes sobre los medicamentos de venta libre que tomas, usa estos recursos.

3. Supervisa las condiciones de salud

Es importante trabajar con su proveedor de atención médica para monitorear problemas de salud como diabetes, osteoporosis e hipertensión. Para tratar estos problemas de salud habituales, debe familiarizarse con los medicamentos y los dispositivos utilizados.

4. Hazte las pruebas de detección

Los escáneres de salud son un medio eficaz para ayudar a percibir las condiciones de salud, incluso antes de que aparezcan signos o efectos secundarios. Dígale al proveedor de atención médica sobre las exploraciones médicas directas para que pueda determinar cuándo puede hacerse las pruebas.

5. Sé activa

El ejercicio, así como la acción física, pueden ayudarte a mantenerte sólida y en forma. No tienes que ir a un gimnasio. Simplemente conversar sobre las formas adecuadas en las que realmente puedes ser dinámica con tu profesional de la salud.

111. 2.3. Flacidez de la piel

También hay formas de prevenir la flacidez de la edad, que son:

1. Fijación y elevación

Estos sistemas se denominan metodologías no intrusivas de fijación cutánea porque dejan la piel sin manchas. Un tiempo después, no tendrá una herida por corte o piel cruda. Puede haber algo de enrojecimiento no permanente, pero ese suele ser el signo principal de que está utilizando una técnica.

Lo que puede esperar de un método de fijación de la piel que no sea intrusivo:

- **Resultados:** parecen venir paso a paso, por lo que parecen normales.
- **Tiempo de inactividad:** de cero a poco.
- **Tono de piel**: seguro para personas con todos los tonos de piel.
- **Uso en todo el cuerpo:** puede hacerlo en casi cualquier parte del cuerpo.

Los dermatólogos ultrasónicos utilizan el ultrasonido para transmitir calor profundamente al tejido.

Asunto clave: el calentamiento inducirá a su cuerpo a crear más colágeno. Muchas personas ven la elevación y fijación discretas dentro de los dos años y medio de un procedimiento quirúrgico. Al obtener medicamentos adicionales, puede obtener más beneficios.

Durante este procedimiento, el dermatólogo coloca un dispositivo de radiofrecuencia en la piel que calienta el tejido debajo.

Asunto clave: la mayoría de las personas reciben un tratamiento e instantáneamente sienten una obsesión. Su cuerpo necesita algo de tiempo para fabricar colágeno, por lo que verá los mejores efectos en aproximadamente medio año. Al recibir más de un tratamiento, algunas personas se benefician.

Algunos láseres envían calor profundamente a través de la piel sin dañar la capa superior de esta mediante la terapia con láser. Estos láseres se utilizan para reparar la piel en todas partes y pueden ser especialmente eficaces para reparar la piel libre del abdomen y la parte superior de los brazos.

Asunto principal: para obtener resultados, es posible que necesite de 3 a 5 medicamentos, que ocurren paso a paso en algún lugar en la región de 2 años y medio después del último procedimiento.

2. La mayoría de la fijación y elevación son sin procedimiento médico

Si bien estas metodologías le brindarán resultados cada vez más mensurables, considerando todo, no le darán los efectos secundarios de una operación como un estiramiento facial, un tratamiento quirúrgico de párpados o un estiramiento de cuello, que son insignificantes para las técnicas de fijación de la piel. Sin embargo, la fijación de la piel insignificante requiere menos tiempo que el tratamiento quirúrgico. También transmite menos posibilidades de reacciones.

3. Cómo lucir más joven que su edad sin Botox, láseres y cirugía, además de remedios naturales para la piel flácida

Es posible adquirir más experiencia en esta vida. Sin embargo, no es necesario que mires tu edad por si acaso te gustaría no hacerlo. A decir verdad, si se ha estado preguntando cómo se vería más joven de cómo se siente, estamos seguros de apostar que se siente mucho más joven de lo que dice su "edad".

112. 2.4. Pérdida de peso

Una buena preparación fortalece la calidad de sus músculos y mejora su versatilidad.

Aunque el ejercicio cardiovascular es muy importante para la salud de los pulmones y el corazón, ponerse en forma y mantenerse en forma no es una técnica sencilla.

El peso volverá rápidamente en el momento en que deje de hacer mucho cardio. Un requisito indiscutible es usar al cardio como parte de su rutina de bienestar general; Sea como fuere, cuando empiece a ir al centro de ejercicios, la buena preparación debe ser el factor principal. La buena preparación aumenta la calidad de sus músculos, pero esto mejorará su portabilidad y lo principal que se sabe para desarrollar el grosor de los huesos (junto con los suplementos apropiados).

Los ejercicios con pesas ayudan a desarrollar y mantener el volumen y la calidad de los huesos y reducir el riesgo de osteoporosis. Muchas personas mayores de 50 años dejarán de practicar con regularidad debido al dolor en las articulaciones o la espalda, pero no se rinden. En cualquier caso, comprenda que, debido a enfermedades relacionadas con la edad, cambios hormonales e incluso variables sociales como una vida ajetreada, puede parecer más entusiasta recuperar músculo a medida que envejece. Del mismo modo, para la salud y la calidad en general, recuerde que el ejercicio y la dieta están ligados a la cadera. Busque un profesional que pueda ayudarte a volver a la rutina y espere hacer 2 horas y 30 minutos de movimiento físico en siete días para ayudar a mantener su volumen y peso.

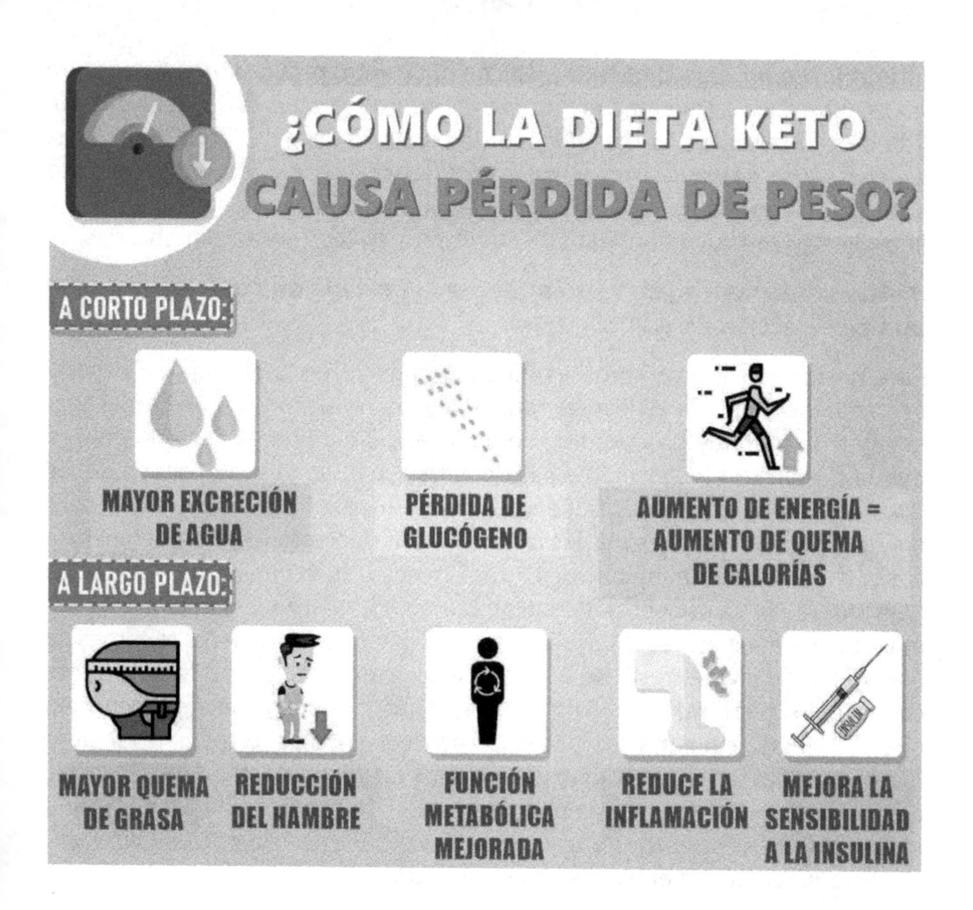

1. Trata de no saltarte comidas.

La testosterona y el estrógeno disminuyen gradualmente después de un tiempo, lo que también provoca la acumulación de grasa ya que el cuerpo no prepara el azúcar. Alternativamente, seguimos perdiendo más volumen a medida que envejecemos; esto hará que las necesidades metabólicas de nuestro cuerpo disminuyan. Sea como fuere, saltarse las comidas puede hacer que le falten importantes nutrientes claves necesarios a medida que envejecemos, por ejemplo, antes de las proteínas y las calorías. El seguimiento de sus niveles de energía a lo largo del día y la obtención de suficientes calorías/proteínas también te ayudará a sentirse mejor en la báscula, explicando cómo quemará más calorías pero de manera menos ineficiente. También perdemos más volumen a medida que envejecemos, lo que hace que nuestra tasa metabólica disminuya.

2. Asegúrate de descansar lo suficiente.

"Quizás el argumento más importante de personas de más de 50 años es la falta de descanso", señala Amselem. Básicamente, el descanso puede interferir con un procedimiento médico importante, provocando una ruptura metabólica en el sistema, en la que el cuerpo convierte la debilidad en hambre, instándolo a comer. Planee descansar de siete a ocho horas y, si es necesario, descansar un poco más. El descanso es vital para un peso saludable porque durante el descanso se liberan dos hormonas, la leptina y la grelina, y concluyen un trabajo importante en las pautas alimentarias.

3. Abandona las viejas "reglas" sobre la pérdida de peso y desarrolla una perspectiva de salud.

Para los dos hombres y mujeres, la edad impacta en la pérdida de peso, y eso se debe a que la digestión retrocede, los niveles hormonales decaen, además de que hay una pérdida de volumen, Sin embargo, eso no implica que la misión sea inconcebible para ponerse más en forma después de los 50 años. Todos los demás tienen que hacer media hora de ejercicio, pero hay dos grandes razones por las que no se puede hacer: o come demasiado o no hace suficiente ejercicio. El movimiento de bienestar anima a las personas a ser conscientes de su propia salud, cuerpo y bienestar. Tener más de 50 años no es el fin del mundo. De hecho, todavía tenemos la posibilidad de vivir el resto de nuestras vidas como jubilados. Es importante comer bien, hacer ejercicio, no fumar y limitar el consumo de alcohol en nuestras vidas. Nuestros cuerpos están envejeciendo de forma natural, pero todavía no tenemos que dejar de hacerlo. En lugar de caer presa de las dietas locas, aclimátese continuamente para avanzar en la alimentación ajustada y ayúdese a recordar los beneficios del ejercicio para su corazón, el tracto estomacal y el bienestar psicológico.

113. 2.5. Factores que influyen en la utilización de combustible

La cantidad de cada elemento en el plasma sanguíneo determina la combinación de combustibles en el cuerpo. Según los investigadores, el elemento principal que determina la cantidad de cada nutriente que se absorbe es la cantidad de cada nutriente que el cuerpo ingiere primero. La segunda consideración a tener en cuenta al evaluar la salud es la cantidad de hormonas como la insulina y el glucagón, que deben estar en equilibrio con la dieta. El tercero es la acumulación física (celular) del cuerpo de cualquier nutriente, como grasa, músculo y glucógeno hepático. Finalmente, las cantidades de enzimas reguladoras de glucosa y grasas se descomponen más allá de nuestra influencia, pero los cambios en la dieta y el ejercicio deciden el uso general de cada combustible. Seguramente, estas dos consideraciones se discutirán más extensamente a continuación.

1. Cantidad de nutrientes consumidos

Los seres humanos obtendrán cuatro calorías de fuentes de su entorno: carbono, hidrógeno, nitrógeno y oxígeno. Cuando se trata de un organismo que demanda y utiliza un aporte energético determinado, prefiere elegir el más cercano debido a la cantidad y concentración en el torrente sanguíneo. El cuerpo puede mejorar o disminuir su uso de glucosa directamente debido a la cantidad de carbohidratos que ingiere. Es un esfuerzo del hígado para controlar los niveles de glucógeno (azúcar) en el cuerpo. Si la ingesta de carbohidratos aumenta, el uso de productos que contienen carbohidratos aumentará. Las proteínas son un poco más difíciles de controlar. A medida que aumenta el consumo de proteínas, nuestros cuerpos también aumentan su desarrollo y oxidación de proteínas. La fuente de alimento de nuestro cuerpo son las proteínas. Si escasea, nuestro cuerpo consumirá menos. Este es un intento de mantener estables los niveles celulares de proteínas corporales a intervalos de 24 horas. Dado que la grasa de la dieta no elimina la cantidad de grasa que el cuerpo necesita, no puede cambiar drásticamente la cantidad de combustible que el cuerpo obtiene de esa grasa. En lugar de medir la insulina directamente, es importante medir la insulina indirectamente, para que no se desvíe.

El contenido de alcohol en la sangre puede disminuir las reservas de energía del cuerpo con esas calorías de grasa. Esto afectará casi por completo el uso de grasas por parte del cuerpo como alimento. Como la mayoría de la gente sabe, la ingesta de carbohidratos influirá en la cantidad de grasa que el cuerpo utiliza como combustible. Las dietas altas en carbohidratos aumentan el uso de grasas por parte del cuerpo como alimento y el umbral y la cantidad de insulina. Por lo tanto, las tasas más altas de oxidación de grasas ocurren cuando hay niveles bajos de carbohidratos en el cuerpo. Otra aclaración de esto se puede encontrar en el capítulo 18, donde se aclara que la cantidad de glucógeno regula la cantidad de grasa que utilizan los músculos. Cuando un ser humano ingiere menos energía y menos carbohidratos, el cuerpo puede consumir calorías de grasa como alimento en lugar de carbohidratos.

2. Niveles hormonales

Factores como la comida, el ejercicio, los medicamentos y las hormonas influyen en la forma en que usamos el combustible de nuestro cuerpo. La hormona conocida como insulina es de gran interés para muchos médicos porque desempeña un papel importante en una amplia gama de actividades, incluido el funcionamiento del cuerpo. En el siguiente pasaje se incluye un vistazo a las hormonas involucradas en el consumo de combustible.

La insulina es un péptido (que son esenciales en la digestión) que el páncreas libera en respuesta a cambios en la glucosa en sangre. A medida que aumenta la glucosa en sangre, también aumentan los niveles de insulina, y el cuerpo usará esta glucosa extra para almacenarla como glucógeno en los músculos o en el hígado. La glucosa y el exceso de glucosa se introducirán en las células grasas para su conservación (como alfa-glicerofosfato). Se mejora la síntesis de proteínas y, como resultado, los aminoácidos (los componentes básicos de las proteínas) se transfieren de la sangre a través de las células musculares y luego se colocan juntos para producir proteínas más grandes. También se induce la síntesis de grasa o "lipogénesis" (producción de grasa) y la acumulación de grasa. De hecho, es difícil que la insulina se libere de las células grasas debido a sus niveles mínimos. El principal objetivo de la insulina es regular la glucosa en sangre en un rango muy pequeño de alrededor de 80 a 120 miligramos por decilitro. Cuando los niveles de glucosa en sangre aumentan fuera del rango normal, se libera insulina para que los niveles de glucosa vuelvan a un rango normal. El mayor aumento en los niveles de glucosa en sangre (y el mayor aumento en la insulina) ocurre cuando los humanos ingieren carbohidratos en la dieta. Debido a los aminoácidos que se pueden convertir en glucógeno, la descomposición de las proteínas puede provocar un aumento de la cantidad de insulina liberada. Los FFA pueden inducir la liberación de insulina y producir cuerpos cetónicos que se encuentran en concentraciones mucho más pequeñas que las producidas por los carbohidratos o las proteínas.

Cuando su nivel de glucosa disminuye, como ocurre con el ejercicio y por comer menos carbohidratos, sus niveles de insulina también disminuyen. Durante los ciclos con niveles bajos de insulina y hormonas más altas, los combustibles de almacenamiento del cuerpo pueden explotar, lo que lleva a la descomposición de los combustibles almacenados. Después de la acumulación dentro del cuerpo, los triglicéridos se descomponen en ácidos grasos y glicerol y se liberan al torrente sanguíneo. Las proteínas específicas pueden descomponerse en aminoácidos individuales y usarse como fuentes de glucosa. El glucógeno es un material contenido en el hígado que se descompone cuando no hay insulina. La falta de producción de insulina sugiere un estado patológico como la diabetes (o diabetes mellitus insulinodependiente, IDDM). En un grupo de pacientes con diabetes tipo 1, estos pacientes tienen una deficiencia en el páncreas, lo que los hace estar completamente sin insulina. Ya les dije que para controlar de manera práctica los niveles de glucosa, las personas con diabetes tienen que inyectarse insulina. Esto es relevante en el próximo capítulo, ya que la diferencia entre la cetoacidosis diabética y la cetosis mediada por la dieta se establecen en el capítulo siguiente. El glucagón se conoce esencialmente como hormona espejo de la insulina en el cuerpo y tiene efectos casi opuestos. La enzima insulina también es una hormona peptídica producida por el páncreas, que se libera de las células del cuerpo, y su función principal también es mantener niveles estables de glucosa. Sin embargo, una vez que la glucosa en sangre desciende por debajo del promedio, el glucagón aumenta la glucosa en sangre por sí solo. Los precursores se expulsan de las células al torrente sanguíneo.

La función clave del glucagón está en el hígado, donde indica la degradación del glucógeno hepático y la liberación resultante en el torrente sanguíneo. La liberación de glucagón está modulada por lo que comemos, el tipo de ejercicio y la presencia de una comida que activa el desarrollo de glucagón en el cuerpo. Cantidades elevadas de insulina impiden que el páncreas libere la hormona glucagón. Normalmente, las acciones del glucagón se limitan al hígado; en comparación, su función en estos otros tejidos aún no se ha detectado (es decir, células grasas y musculares). Por otro lado, cuando los niveles de insulina son muy bajos, como cuando ocurre la restricción y actividad de la glucosa, el glucagón juega un papel menor en la movilización de grasas, así como en la degradación del glucógeno muscular. La función principal del glucagón es regular la glucosa en la sangre en condiciones de bajo nivel de azúcar en la sangre. Pero también juega un papel crucial en el desarrollo de cuerpos cetónicos en el hígado, que trataremos en profundidad en el próximo capítulo. A continuación se encuentran las definiciones de las dos hormonas contrastantes. Al leer lo escrito anteriormente, debería resultar obvio que tienen efectos opuestos entre sí. Mientras que la insulina es una hormona de almacenamiento clave que permite la retención de glucosa, potasio, albúmina y grasa acumulados en el cuerpo, el glucagón cumple la misma función al permitir la utilización de la grasa almacenada en un organismo.

La insulina y el glucagón son fundamentales para la determinación de ser anabólico o catabólico. Sin embargo, su presencia en el cuerpo no es suficiente por sí sola para el desarrollo muscular. También intervienen otras hormonas. Se analizarán brevemente a continuación. La hormona del crecimiento, que es una hormona peptídica, provoca varios efectos en el cuerpo, como sus efectos sobre el flujo sanguíneo y el crecimiento del tejido muscular. La hormona que mantiene a raya el apetito, la grelina, se libera en respuesta a varios factores estresantes. En particular, el ejercicio, la reducción de la glucosa en sangre y la restricción de carbohidratos o el ayuno pueden inducir la producción de grelina. Como sugiere su nombre (GH), la GH es una hormona promotora del crecimiento, que mejora la producción de proteínas (síntesis de proteínas) en el cuerpo y el hígado. La glucosa, el glucógeno y los triglicéridos también se movilizan de las células grasas para su nutrición.

La adrenalina y la noradrenalina (también llamadas epinefrina y norepinefrina) son miembros de una familia especial de hormonas llamadas hormonas de "lucha o huida". Suelen liberarse en respuesta a molestias, como correr, ayunar o consumir alimentos fríos. La epinefrina es un fármaco que se emite desde la médula suprarrenal y pasa a través del torrente sanguíneo hasta el cerebro para ejercer sus efectos en varios tejidos del cuerpo. Los impactos de las catecolaminas en los diferentes tejidos del cuerpo están muy involucrados y tal vez sean objeto de un trabajo de investigación. La función principal de los metabolitos de las catecolaminas que afectan la dieta cetogénica es aumentar la excreción de ácidos grasos en la orina y aumentar los ácidos grasos en la sangre. Cuando es difícil para alguien cambiar su forma de actuar, es porque sus niveles de insulina no son los que deberían. La única hormona que realmente afecta la movilización de grasas es la insulina. Al igual que las catecolaminas, la insulina y los imitadores de la insulina tienen un efecto correspondiente sobre la movilización de grasas.

3. Glucógeno hepático

El hígado es uno de los órganos más activos metabólicamente de todo el cuerpo humano. Aunque todo lo que consumimos no es digerido inmediatamente por el estómago, esto es parte de todo el proceso de digestión. Al igual que el cuerpo, el grado en que el hígado retiene el glucógeno es la influencia dominante en la medida en que el cuerpo retendrá o descompondrá los nutrientes. Por lo general, es (vacilación) porque hay un mayor nivel de grasa corporal asociado con niveles elevados de glucógeno hepático. El hígado es análogo a una fuente de almacenamiento y glucógeno a corto plazo que regula la glucosa en la sangre en nuestro cuerpo. Después de que el hígado libera más glucosa en la sangre, se libera más glucagón, lo que activa la descomposición del glucógeno hepático en la glucosa, que se introduce en el torrente sanguíneo. Cuando el hígado tiene reservas de glucógeno por completo, se retienen los niveles de glucosa en la sangre y el cuerpo entra en el estado anabólico, lo que significa que la glucosa, los aminoácidos y los ácidos grasos libres entrantes se procesan como estas tres moléculas, respectivamente. Esto a menudo se conoce como "el establecimiento alimentado". Los glóbulos rojos no pueden contener tanto oxígeno como lo hacían cuando estaban llenos de cantidades masivas de glucógeno, por lo que lo liberan cuando ya no son necesarios y se transforman en el hígado. El cuerpo corta las proteínas comestibles en aminoácidos, que luego se colocan en la formación de aminoácidos y, finalmente, producirán grasas y azúcares. Esto a menudo se conoce como la condición de "ayuno".

4. Niveles de enzimas

El control preciso del consumo de combustible en el cuerpo se realiza mediante la acción de las enzimas. En última instancia, los niveles de enzimas se calculan por los carbohidratos que se consumen en la dieta y los niveles hormonales que son causados por ellos. Por otro lado, cuando hay un exceso de carbohidratos en la dieta, esta forma de cambio dietético estimula la influencia de la insulina en la capacidad de las células para utilizar la glucosa y prevenir la degradación de las reservas de grasas. Por lo tanto, si hay una disminución en los niveles de insulina, las enzimas se bloquean, lo que resulta en una caída de las enzimas involucradas en el uso de glucosa y en la descomposición de las grasas. Un ajuste a largo plazo a una dieta alta en carbohidratos / baja en carbohidratos puede inducir modificaciones a largo plazo en las enzimas involucradas en grasas y carbohidratos, lo que resulta en cambios a largo plazo en el núcleo. Si limita el consumo de carbohidratos durante muchas semanas, esto agotará el hígado y los músculos de las enzimas y las transferirá al hígado y al músculo relacionado con la quema de grasa. El resultado de alterar el equilibrio de los componentes de la dieta es la incapacidad de usar carbohidratos como combustible durante algún tiempo después de que los alimentos se reintroducen en la dieta.

Capítulo 3: Keto con ayuno intermitente

Este capítulo le dará una vista detallada del Keto con ayuno intermitente.

El ayuno intermitente, en una definición más condensada, permite que las personas se salten una comida diaria. Las formas populares de ayuno intermitente incluyen el ayuno de un día, un ayuno de 24 horas o un ayuno de 5:2, donde las personas comen muy poca comida durante un número predeterminado de días y luego consumen mucha comida. La función del ayuno intermitente rompe la rutina de ayuno cada dos días. A diferencia de las dietas intensas que con frecuencia producen resultados rápidos pero que pueden ser difíciles de mantener a largo plazo, tanto el ayuno intermitente como la dieta cetogénica se centran en los sistemas de raíces reales de cómo el cuerpo absorbe los alimentos y cómo toma sus decisiones dietéticas para cada día. La alimentación intermitente y las dietas cetogénicas deben practicarse como modificación dietética. Son opciones a largo plazo para que estés mejor y más feliz.

Es donde radica la mayor distinción entre la alimentación intermitente y la alimentación por intervalos. El ayuno en intervalos es el que se encarga de restringir el tiempo de alimentación entre 4 y 10 horas durante el día y perder el ayuno el resto del tiempo. Todas o la mayoría de las personas que practican el ayuno intermitente lo hacen con regularidad.

114. 3.1. ¿Qué es la cetosis?

Desde afuera, mirando hacia adentro, los carbohidratos parecen ser un medio simple y rápido de aportar nutrientes durante todo el día. Piense en todos esos bocadillos para llevar y llenos de proteínas que equiparamos con el desayuno: barras de granola, muffins rellenos de frutas, batidos. Comenzamos nuestras mañanas comiendo muchos carbohidratos, y luego más tarde en el día, agregan más carbohidratos. El hecho de que una determinada tecnología funcione no la convierte en la forma más eficaz. Para mantenernos a salvo, los tejidos y las células que producen nuestro cuerpo requieren energía para cumplir con sus funciones diarias. Hay dos fuentes principales de energía en los alimentos que consumimos, pero la primera fuente no es de origen animal y la segunda fuente si es animal. Una fuente de energía son los carbohidratos, que se transforman en glucosa. En este momento, este es el proceso por el que pasa la mayoría de las personas. Sin embargo, estos carbohidratos tienen un combustible alternativo e impactante: la grasa. No, lo que cualquier médico le ha recomendado para reducir su vida útil puede ser el arma que necesita para reactivar su metabolismo. Durante este proceso, nuestro cuerpo emite pequeñas moléculas orgánicas, llamadas cetonas, lo que indica que los alimentos que comemos se están descomponiendo. Las cetonas son nutrientes reales que ayudan a que muchas de las células de nuestro cuerpo funcionen, incluidos los músculos. Indudablemente, habrá escuchado el término "metabolismo" repetidamente en la vida, pero ¿comprende lo que significa exactamente como un proceso químico de acción rápida? En definitiva, este es alcalino, provocando un funcionamiento celular eficaz, que puede estar presente en cualquier tipo de ser vivo. Teniendo en cuenta que los humanos son extremadamente complicados de muchas maneras, nuestros cuerpos generalmente procesan cosas más simples como la comida y el ejercicio. Nuestros cuerpos luchan activamente por hacer su trabajo. Y ya sea que estemos dormidos o no, nuestras células se están construyendo y restaurando activamente.

Casi al mismo tiempo, la glucosa, que es en la que se descomponen los carbohidratos después de que los ingerimos, es un componente crítico en el proceso de llevar el azúcar al cuerpo. Ahora estamos concentrando nuestra dieta en carbohidratos como la principal fuente de calorías para nuestro cuerpo. Sin mencionar la fructosa que comemos, así como las porciones diarias recomendadas de frutas y verduras con almidón, así como las fuentes de proteínas de origen vegetal, no hay escasez de glucosa en nuestros cuerpos. El problema con este tipo de uso de energía es que esto hace que compremos el consumismo centrado en el reciclaje que es un subproducto de las tecnologías a medias. Nuestros cuerpos se ven afectados por la cantidad de calorías que comemos todos los días. Algunas personas comen más de lo que necesitan y eso puede contribuir a la obesidad.

La mayoría de las personas no pueden alcanzar la cetosis rápidamente, pero puede alcanzarla haciendo ejercicio, comiendo menos y bebiendo una cantidad decente de agua. Como se vio a través de los datos, nuestra actual "pirámide alimenticia", que nos indica que consumamos una gran cantidad de alimentos ricos en carbohidratos como fuentes de energía, está patas arriba. Una fórmula más eficaz para alimentar su cuerpo contiene grasas en la parte superior, que constituyen del 60 al 80 por ciento de su dieta; proteína en el medio del 20 al 30 por ciento; y carbohidratos (glucosa real disfrazada) en la parte inferior, que representan solo del 5 al 10 por ciento de su plan de alimentación habitual.

115. 3.2. Paleo vs. Keto

La evolución tiene muchas oportunidades, poder utilizar el fuego y la energía para cocinar nuestros alimentos, es evidencia suficiente de que el cambio puede ser algo positivo en nuestras vidas. En cualquier lugar entre nuestro estilo de vida de cazadores y el estilo de vida industrializado que tenemos hoy, hay una desconexión significativa. Aunque nuestra esperanza de vida ha mejorado, no estamos ganando la longevidad de esos años adicionales porque nuestra salud se está debilitando. La sensación de cansancio y falta de claridad que tiene puede deberse no solo a que necesita dormir más, sino a que le falta vitamina B12 en su dieta. Si comemos alimentos como combustible para nuestro cuerpo, es justo suponer que lo que comemos tiene un gran efecto en nuestra productividad. Si quema combustible en un motor diseñado para funcionar con gasolina, podría haber algunas consecuencias muy dañinas. ¿Es concebible que nuestros cuerpos hayan establecido esta cascada de receptores de insulina para aceptar solo azúcar, en un proceso comparable a nuestra transición para proporcionar grasa como una fuente rápida de energía en lugar de una fuente de energía para nuestros primeros antepasados? Sé que esto suena mucho a defender una dieta Paleo, pero aunque el estilo de vida cetogénico parece similar, el concepto básico de Keto es muy diferente. La cetosis ocurre cuando consume menos calorías y cambia la ingesta de proteínas y grasas. La cetosis tiene muchos efectos medicinales, y el principal es la pérdida de peso rápida (grasas, proteínas, carbohidratos, fibra y líquidos). Las calorías se componen de cuatro tipos distintos de macronutrientes. Hay muchas consideraciones en las determinadas decisiones alimentarias que toma una persona, y es fundamental tener en cuenta las emociones.

La fibra nos hace regulares, por ejemplo, y permite que los alimentos fluyan hacia el tracto digestivo. Lo que entra tiene que salir, y para ese proceso se necesita fibra. La proteína ayuda a curar los tejidos, generar enzimas y crear huesos, músculos y piel. Los líquidos nos mantienen hidratados; nuestras células, músculos y órganos no funcionan correctamente sin ellos. La función principal de los carbohidratos es suministrar energía, pero el cuerpo debe convertirlos en glucosa para hacerlo, lo que tiene un efecto dominó en las partes del cuerpo. Debido a su vínculo con la producción de insulina a través de niveles más altos de azúcar en sangre, la ingesta de carbohidratos es un acto de equilibrio para las personas con diabetes. Las grasas buenas estimulan la formación de células, protegen nuestros pulmones, nos ayudan a mantenernos calientes y proporcionan nutrición, pero solo en pequeñas cantidades cuando se ingieren carbohidratos. Pronto voy a explicar más sobre cuándo y cómo sucederá esto.

116. 3.3. Carbohidratos frente a carbohidratos netos

En prácticamente cualquier suministro de alimentos, los carbohidratos se encuentran en algún tipo. La reducción total de carbohidratos es poco probable y poco realista. Para funcionar, requerimos de algunos carbohidratos. Si queremos saber que ciertos alimentos que entran en el grupo restringido de una dieta cetogénica se convierten en mejores opciones que otros, es importante entender esto.

En el desglose calórico de una comida, la fibra cuenta como carbohidrato. Es interesante recordar que nuestro azúcar en la sangre no se ve muy afectado por la fibra, algo positivo porque es un macronutriente integral que nos permite digerir mejor los alimentos. Te quedas con lo que se considera carbohidratos netos después de restar la suma de fibra de la cantidad de carbohidratos en el recuento calórico de un elemento o receta terminada. Piense en su cheque de pago antes de los impuestos (brutos) y después (neto). Una mala comparación, tal vez, porque nadie quiere pagar impuestos, pero una eficiente para tratar de explicar y rastrear los carbohidratos versus los carbohidratos netos. Coloca una cierta cantidad de carbohidratos en su torrente sanguíneo, pero ninguno de ellos influye en su contenido de azúcar en la sangre.

No significa que con la pasta integral te puedas volver loco. Aunque es una mejor alternativa que la harina de pasta de color blanco, puede limitar sus carbohidratos netos a un total de 20 a 30 gramos por día. Para poner eso en contexto, aproximadamente 35 gramos de carbohidratos y solo 7 gramos de fibra total se encuentran en dos onzas de pasta integral poco cocida. La pasta y el pan son, sin duda, las dos cosas clave que la gente te preguntaría si las extrañas.

117. 3.4. ¿Cuándo comienza la cetosis?

La mayoría de las personas pasan por la cetosis en unos pocos días. Las personas que son diferentes tardarán una semana en adaptarse. Los factores que causan la cetosis incluyen la masa corporal existente, la dieta y los niveles de ejercicio. La cetosis es un estado moderado ya que los niveles de cetonas serían bajos durante más tiempo. Uno puede calcular los niveles de cetonas de una manera estructurada, pero puede notar ciertas reacciones biológicas que indican que está en cetosis. No hay síntomas tan graves o drásticos, y los beneficios pueden superar los riesgos en este período de transición, por lo que es bueno estar familiarizado con los síntomas en caso de que surjan.

Hambre versus ayuno

Toma la decisión deliberada de ayunar. El mayor diferenciador entre hacer un ayuno y alimentarse de manera intermitente es que usted elige continuar ayunando. El hospital no le impone la cantidad de tiempo que desea ayunar y el motivo del ayuno, ya sea por prácticas religiosas, pérdida de peso o un ciclo de desintoxicación prolongado. La mayor parte del ayuno se realiza a voluntad. Al ayunar, una alimentación adecuada tiene claras implicaciones en la forma general de nuestro bienestar. Una serie de situaciones pueden provocar la inanición de las personas que padecen esas condiciones. El hambre y la guerra son solo un par de estas condiciones causadas por una economía devastada. La inanición es debido a la falta de los nutrientes adecuados que pueden provocar insuficiencia orgánica y, en última instancia, la muerte. Nadie quiere vivir sin calorías.

Cuando supe que evitar fumar ayudaría a mi salud, inmediatamente me pregunté: "¿Por qué sigo fumando?" Y una vez que conozco las motivaciones para hacer esto, es mucho más fácil verlas. También me han preocupado los primeros días del ayuno. Antes de que supiera que hay una distinción entre ayunar y morir de hambre y que es seguro, mi primera respuesta a la idea de no comer y morir de hambre fue todavía: "¿Por qué alguien elegiría suicidarse de hambre?" En cuanto a la intención de este artículo, alguien que ayuna simplemente está optando por no comer durante un período de tiempo predeterminado. Incluso las vigilias no violentas que están destinadas a oponerse al uso de una determinada forma de matar son cada vez más grandes.

¿Desaparecería tu hambre antes del ayuno?

Esta es una consulta brillante; intentemos verla de diferentes ángulos. El hecho es que todos comemos una comida completa una vez al día. Es una tradición normal que comamos nuestra última comida unas horas antes de irnos a dormir, y todos, excepto los recién nacidos que amamantan, no comen en el momento en que se despiertan. Y si dedica solo un límite de seis horas por noche a dormir, es probable que ayune diez horas al día de todos modos. Ahora, comencemos a incorporar el concepto de periódico a la fórmula. Todo lo que es "intermitente" implica algo que no es constante.

Cuando lo agregas al concepto de ayuno, significa que estás alargando el tiempo que no comes entre comidas (el término "desayuno" significa solo eso, romper el ayuno).

Al ayunar una vez al día, tenemos un poder establecido de "mente sobre la materia". Lo que será una gran preocupación, sin embargo, sería mente sobre mente. Volveremos al tema de cómo se siente después de dejar de alimentarse. La primera semana de ayuno puede cambiar a medida que se acostumbre a la cantidad prolongada de tiempo de su objetivo actual de ayuno intermitente. Todos los períodos de ayuno que le he dado le permiten adaptarse en el tiempo a la Dieta Cetogénica y este método ajusta su rutina de sueño para que se adapte a ellos. Es concebible (y probable) que su cuerpo comience a sentir hambre alrededor de las 10 a.m., alrededor del momento en que generalmente almuerza. Pero, después de un día, puede adaptarse, y después de un par de días, ya no debería tener problemas para alimentarse antes del mediodía.

Para ayudarlo antes de hacer el cambio con el que está jugando, observe lo que sucede cuando retrasa la primera comida del día treinta minutos adicionales por día durante una semana. De esta manera, cuando comience el horario establecido aquí, deberá cambiar el horario de su última comida del día justo después de comenzar la semana dos del plan para las comidas desde el mediodía hasta las 6 p.m.

118. 3.5. ¿Por qué preferir el ayuno intermitente?

Ahora que ha aprendido que es posible ayunar sin morir de hambre y que también es una decisión deliberada, podría pensar, ¿por qué diablos elegiría ayunar? Su capacidad para fomentar la pérdida de peso es una de las razones clave por las que el ayuno intermitente ha conquistado el mundo de la dieta. El metabolismo es una característica del cuerpo humano. El metabolismo requiere dos reacciones básicas: catabolismo y anabolismo.

El catabolismo es la parte del metabolismo en la que nuestro cuerpo descompone los alimentos. El catabolismo implica la descomposición de compuestos grandes en unidades más pequeñas. El cuerpo utiliza la energía de los alimentos que consumimos para producir nuevas células, desarrollar músculos y mantener los órganos. Este término a menudo se conoce como catabolismo y anabolismo paralelo o dual. Una rutina de dieta que nos ve comiendo la mayor parte del día significa que nuestros cuerpos tienen menos tiempo que perder en el proceso anabólico del metabolismo. Es difícil de averiguar porque están relacionados, pero tenga en cuenta que ocurren a ritmos diferentes. El punto más significativo es que un tiempo de ayuno prolongado permite una eficiencia metabólica óptima.

La agudeza mental mejorada tiene una influencia intrínseca de mejorar la atención, la concentración y el enfoque. Según varios informes, el ayuno te hace estar más alerta y concentrado, no con sueño ni mareos. Mucha gente apunta a la naturaleza y nuestro deseo de sobrevivir. Puede que no hayamos tenido conservación de alimentos, pero vivimos día a día, sin importar cuán abundantes hayan sido los suministros de alimentos.

Los científicos están de acuerdo en que el ayuno a menudo aumenta la neurogénesis, el crecimiento y la regeneración del tejido nervioso en el cerebro. Ambos caminos llevan al hecho de que el ayuno le da al cuerpo el tiempo suficiente para realizar el mantenimiento de rutina. Extiende el tiempo que le da a su cuerpo para concentrarse en el crecimiento celular y la recuperación de tejidos durmiendo más tiempo entre su última y primera comida.

¿Se permiten líquidos durante el ayuno?

El último detalle importante del ayuno intermitente es que acelera el metabolismo; a diferencia del ayuno religioso, que también prohíbe el consumo de alimentos durante el período de ayuno, un ayuno intermitente requiere que beba un determinado líquido durante el período de ayuno. No está consumiendo algo que sea calórico; por tanto, esta acción rompe el ayuno. Como podemos deducir de su sólido historial de pérdida de peso, una mirada más cercana a través del prisma del ayuno intermitente puede arrojar resultados muy prometedores. El caldo de huesos (aquí) es el beneficiario tanto de los nutrientes como de las vitaminas y puede reponer las cantidades de sodio. Se ha otorgado permiso para usar café y té sin edulcorantes e idealmente sin leche o crema. Hay dos maneras distintas de pensar sobre la aplicación de leche o refrescos a su café o té. Siempre que sea solo una adición alta en grasas, como aceite de coco o mantequilla para hacer café a prueba de balas, muchos partidarios de la cetogénica creen que es una pérdida de tiempo y no obtienen suficiente proteína de manera adecuada. Con el aceite MCT, se supone que las personas pueden obtener más energía y ser más felices con su vida diaria. Los bebedores de café y té tienden a preparaciones simples. Es perfecto para que elijas la estrategia que quieras, siempre y cuando no termines "alternando" entre las dos técnicas. A menudo recomiendo beber agua, ya que mantenerse hidratado es necesario para cualquier elección más saludable que una persona pueda tomar. El consumo de cafeína puede ser muy agotador, así que tenga cuidado de controlar su consumo de agua y mantenerse equilibrado.

119. 3.6. El poder de la dieta keto combinado con el ayuno intermitente

Cuando estás en cetosis, el proceso de descomposición de los ácidos grasos para crear cetonas como combustible es básicamente lo que hace el cuerpo para mantener las cosas funcionando cuando estás en ayunas. El ayuno durante unos días tiene un impacto notable en una dieta basada en carbohidratos. Después del paso inicial de quemar carbohidratos para obtener energía, su cuerpo se transforma para quemar grasa para obtener calor. Ves a donde voy. Si tarda de 24 a 48 horas para que el cuerpo se convierta en grasa como alimento, imagina las consecuencias de la dieta cetogénica. Mantener la cetosis significa que su cuerpo ha estado tratando de quemar grasa como combustible. Pasar mucho tiempo en ayunas significa que quemas grasa. La inanición intermitente combinada con keto da como resultado una mayor pérdida de peso que otras dietas tradicionales. Las capacidades adicionales para quemar grasa se deben al intervalo de tiempo entre la última y la primera comida. La cetosis se utiliza en el culturismo porque ayuda a perder grasa sin perder músculo. Es saludable cuando tiene el peso adecuado y la masa muscular es buena para el fitness.

¿Cómo funciona?

Es un ajuste de estilo de vida increíble recurrir a la dieta cetogénica. Dado que puede ayudarlo a consumir menos, es mejor entrar en la parte de ayuno de este programa. A pesar de que la dieta no es completamente fresca, pero ha existido durante mucho tiempo, las personas parecen responder rápidamente al consumir principalmente grasa, por lo que su cuerpo se ha acostumbrado a quemar grasa como alimento, pero tenga paciencia si ocurre cualquiera de los casos anteriores: dolores de cabeza, agotamiento, aturdimiento, mareos, niveles bajos de azúcar en sangre, náuseas, aumento del apetito, antojos de carbohidratos o aumento de peso. A menudo, asegúrese de obtener ciertos nutrientes para tener un mejor bienestar cerebral, quema de grasa, testosterona y estado de ánimo. La semana 2 del programa de 4 semanas comienza con el ayuno intermitente y no continúa hasta la segunda semana. Durante el proceso de incorporación paulatina, querrá saber de qué se tratan las comidas y los horarios. Antes de integrar la porción de ayuno intermitente de su dieta, se recomienda que deje de comer su última comida con más de seis horas de anticipación (6 p.m.). Le ayudará a entrar en un estado de ayuno y a dejar de comer bocadillos. Cuando aprenda a nutrir mejor su cuerpo, aprenderá a dejarse llevar por la molesta compulsión de comer, y también podrá mantener una relación más controlada con sus necesidades psicológicas. Cuando pasa el tiempo, los antojos se detienen inevitablemente. A veces asociamos el deseo de comer con el hambre, cuando en realidad el deseo de comer se debe a un hábito aprendido y el hambre es una señal bioquímica para reabastecer las reservas de energía del cuerpo.

120. 3.7. Calorías vs. Macronutrientes

El enfoque en la dieta cetogénica es rastrear la cantidad de grasas, proteínas y carbohidratos que consume. Es solo un examen más detenido de cada caloría ingerida. Para decidir cuántas calorías puede consumir para el control de peso y la pérdida de peso, también es importante tener una tasa metabólica de referencia llamada TMB (otra razón importante para definir sus objetivos). Tanto en su bienestar general como en el logro y permanencia en la cetosis, todos estos macronutrientes desempeñan una función crucial, pero los carbohidratos son los que reciben más atención en keto, ya que dan como resultado glucosa durante la digestión, que es la fuente de energía que está intentando utilizar para guiar a su cuerpo. Cualquier estudio indica que la cantidad real de carbohidratos totales que uno puede comer al día con keto es de 50 gramos o menos, lo que da como resultado de 20 a 35 carbohidratos netos al día, según el contenido de fibra.

Cuanto más bajos sean los carbohidratos netos que pueda consumir, más pronto su cuerpo entrará en cetosis y mejor será mantenerla.

Teniendo en cuenta que nuestro objetivo es alrededor de 20 gramos de carbohidratos netos al día, dependiendo de la cantidad de calorías que necesite comer en función de su TMB, los gramos de grasa y proteína son factores. Dependiendo del nivel de ejercicio, el promedio diario recomendado para las mujeres varía entre 1.600 y 2.000 calorías para el mantenimiento del peso (de pasivo a activo). De acuerdo con una dieta diaria, consumir 160 gramos de grasa + 70 gramos de proteína + 20 gramos de carbohidratos representa 1.800 calorías de ingesta, el número óptimo para el control de peso para mujeres moderadamente activas en el USDA (caminar de 1.5 a 3 millas por día). Le gustaría alcanzar 130 gramos de grasa + 60 gramos de proteína + 20 gramos de carbohidratos para comenzar a perder peso si tiene un estilo de vida sedentario, descrito como hacer ejercicio de las actividades diarias normales, como limpiar y caminar distancias cortas solamente (1500 calorías).

121. 3.8. Los efectos secundarios físicos de Keto

A diferencia de los programas de dieta que simplemente reducen los alimentos que consume para bajar de peso, la dieta keto va más allá. Para mejorar la forma en que el cuerpo convierte lo que consume en electricidad, la cetosis se trata de modificar la forma en que come. La fase de cetosis cambia la ecuación de quemar glucosa (recuerde, carbohidratos) a quemar grasa como combustible. Cuando el cuerpo se adapta a una forma diferente de trabajar, esto conlleva posibles efectos secundarios. Es importante darse tiempo para cambiar adecuadamente, tanto física como mentalmente. La fiebre cetogénica y el aliento cetogénico son dos alteraciones físicas que puede encontrar durante la transición a una dieta cetogénica.

1. Gripe cetogénica

A menudo conocida como gripe por carbohidratos, la gripe cetogénica puede durar desde unos pocos días hasta algunas semanas. A medida que el cuerpo se deshace de la quema de glucosa para obtener energía, los cambios metabólicos que ocurren en el interior pueden provocar una mayor sensación de letargo, dolor muscular, irritabilidad, mareos o confusión mental, cambios en las deposiciones, náuseas, dolores de estómago y dificultad para concentrarse. Suena mal, lo sé, y quizás un poco familiar. Sí, todos estos son signos recurrentes de la gripe, de ahí el término. La buena noticia es que cuando su cuerpo cambia, se trata de un proceso transitorio y no afecta a todos. Una deficiencia de electrolitos (sodio, potasio, magnesio y calcio) y la eliminación de azúcar de una ingesta sustancialmente reducida de carbohidratos son las razones que causan estos síntomas. Esperar estos efectos futuros significa que, si surge algo, estará preparado para aliviarlos y reducir la duración de la gripe cetogénica.

Los niveles de sodio se ven afectados específicamente por el volumen de alimentos muy procesados que consume. Para explicarlo, todo lo que comemos es un alimento procesado; la palabra significa "una serie de pasos que se toman para lograr un fin específico". El acto de procesar alimentos también implica cocinar desde cero en casa. Sin embargo, estos alimentos muy procesados parecen producir cantidades excesivas de sal secreta en contraste con nuestra sociedad actual, donde los alimentos listos para comer están disponibles en cualquier esquina de la tienda (el sodio es un conservante y un modificador del sabor).

A continuación se ofrecen otros alimentos en los que concentrarse durante el período de transición cetogénica. Son un rico suministro de minerales como magnesio, potasio y calcio para mantener los electrolitos bajo control.

- El potasio es importante para la hidratación. Está presente en las coles de bruselas, espárragos, salmón, tomates, aguacates y verduras de hoja.
- Los mariscos, el aguacate, las espinacas, el pescado y las verduras con alto contenido de magnesio pueden ayudar mucho con los calambres y el dolor muscular.
- El calcio puede promover la salud ósea y ayudar en la absorción de nutrientes.
- Incluyendo queso, nueces y semillas como almendras, brócoli, bok Choy, sardinas, lechuga, sésamo y semillas de chía.

La otra opción que las personas evalúan para prevenir la gripe cetogénica es comenzar a comer carbohidratos menos refinados para disminuir las posibilidades de experimentar la gripe cetogénica. Puede ser tan simple como hacer algunos cambios simples en lo que come, reemplazar el muffin con un huevo duro o revuelto, reemplazar el panecillo con lechuga o cambiar los espaguetis por zoodles. De esta manera, cuando se sumerja en el plan, se sentirá más como un paso gradual de comer menos carbohidratos que un giro repentino en su dieta.

2. Aliento cetogénico

Primero profundicemos en el meollo del asunto. La falta de aliento es básicamente un hedor. Pero es algo para lo que puede prepararse cuando haga la transición a la dieta de cetosis. Hay dos hipótesis relacionadas; podría haber una razón para esto. Cuando el cuerpo alcanza la cetosis (un estado en el que libera mucha energía), lo que hace que la grasa sea un subproducto del ácido, el cuerpo libera más acetona (sí, el mismo solvente que se encuentra en el quitaesmalte y los diluyentes de pintura). Cualquier acetona se descompone en el torrente sanguíneo en un proceso llamado descarboxilación para sacarla del cuerpo a la orina y respirar la acetona. Puede provocar que una persona tenga mal aliento.

Cuando la proteína también está presente en el aliento cetogénico, agrega un sonido levemente asqueroso. Debe tener en cuenta que el objetivo de macronutrientes es una proteína alta en grasas, suave y baja en carbohidratos. La gente comete el error de que la grasa alta es intercambiable con la proteína alta. No es una afirmación real en absoluto. El metabolismo del cuerpo entre las grasas y las proteínas varía. Nuestros cuerpos contienen amoníaco cuando descomponen las proteínas, y todo el amoníaco normalmente se libera en nuestra producción de orina. Cuando come más proteína o más de lo que debería, el exceso de proteína no se rompe ni se digiere y va a su intestino. Con el tiempo, la proteína extra se convertirá en amoníaco y se liberará con el aliento.

122. 3.9. Los fundamentos de la dieta cetogénica

El régimen de dieta keto implica comer moderadamente bajo en carbohidratos, alto contenido de azúcar y proteínas suaves para entrenar al cuerpo a aceptar la grasa como su alimento básico. Continuando con el procedimiento, agregaría una dieta cetogénica a mi dieta. Dado que el cuerpo puede no tener reservas de carbohidratos, quema rápidamente sus suministros de glucógeno. Es cuando el cuerpo parece estar en estado de emergencia ya que se ha quedado sin comida. En esta etapa, el cuerpo entra en cetosis y es entonces cuando comienza a usar la grasa como la principal fuente de energía. Por lo general, ocurre dentro de los tres días posteriores al inicio de la dieta. Luego, el cuerpo transforma la grasa sobre sí mismo, por lo general demorando más de tres meses y medio en completar la transición. Estás bien acostumbrado a la grasa. Entonces, si no está alimentando al cuerpo adecuadamente, es por eso que el cuerpo se aprovecha de sus propios depósitos de grasa (ayuno).

La ventaja de la dieta cetogénica para el ayuno intermitente

Antes de ingresar al ayuno intermitente, se aconseja a seguir de un mes a mes y medio la dieta keto. No será mejor comer grasa solo, por lo que tendrá menos antojos. La dieta cetogénica es aún más satisfactoria y las personas se encontraron menos antojos. Por el contrario, la dieta cetogénica también mostró su capacidad de almacenamiento y fue mejor para mantener la digestión.

Tipos de ayuno intermitente

Esta técnica implica ayunar dos días a la semana y algunos días comer 500 calorías. Tendrá que seguir una dieta cetogénica típica y saludable durante los próximos cinco días. Debido a que los días de ayuno se asignan solo 500 calorías, necesitará gastar nutrientes ricos en proteínas y grasas para mantenerse satisfecho. Solo ten en cuenta que hay un día sin ayuno en medio de ambos.

1. Alimentación con restricciones de tiempo

En su mayor parte, debido a que su período de ayuno implica el tiempo que está durmiendo, este método de ayuno ha demostrado ser uno de los más populares. El veloz 16/8 significa que usted está en ayunas durante dieciséis horas y come durante ocho horas. Podría creer que solo se permite comer desde primera hora de la tarde hasta las 8 p.m. y empezar rápidamente hasta el día siguiente. Lo increíble de esta técnica es que no tiene que ser 16/8; por el momento, puede hacer 14/10 y obtener incentivos equivalentes.

2. Ayuno del día del intercambio

A pesar de la estrategia 5:2 y la restricción de tiempo, esta alternativa le permite ayunar cada dos días, normalmente limitándose a unas 500 calorías en ayunas. Los días sin ayuno en realidad se consumirían normalmente. Puede ser una estrategia agotadora que puede hacer que otros duden cuando es difícil mantenerse durante el día.

3. Ayuno de 24 horas

Llamado, para abreviar, "Una comida al día". Este ayuno se mantiene durante 24 horas completas y, por lo general, se realiza solo unos pocos días a la semana. A continuación, necesitará algo de inspiración para reanudar el ayuno y mantenerse firme.

Manteniendo la Motivación

Puede ser difícil ceñirse a un régimen de alimentación y ayuno en la remota posibilidad de que le falten ideas, entonces, ¿cómo puedes continuar? El enfoque que lo acompaña ayudará a concentrarse en sus objetivos generales al presentar las razones básicas del camino.

Capítulo 4: Las 20 mejores recetas cetogénicas

En este capítulo, discutiremos algunas deliciosas recetas cetogénicas.

123. 4.1. Muffins de mantequilla de almendras

(Listo en 35 minutos, porciones: 12, dificultad: normal)

Ingredientes:

- Cuatro huevos
- 2 tazas de harina de almendras
- 1/4 cucharadita de sal
- 3/4 taza de mantequilla de almendras tibia
- 3/4 taza de leche de almendras
- 1 taza de eritritol en polvo
- Dos cucharaditas de polvo de hornear

Instrucciones:

1. En una taza para muffins, coloque los revestimientos de papel antes de que el horno se precaliente a 160 grados Celsius.
2. Mezcle eritritol, harina de almendras, polvo de hornear y sal en un tazón para mezclar.
3. En otra taza, mezcle la leche de almendras tibia con la mantequilla de almendras.
4. Deje caer los ingredientes en un recipiente seco hasta que estén todos combinados.
5. En una olla lista, espolvorear la harina y cocinar durante 22-25 minutos hasta que inserte el cuchillo salga limpio en el centro.
6. Enfríe durante cinco minutos.

124. 4.2. Quesadilla de desayuno

(Listo en 25 minutos, porciones: 4, dificultad: fácil)

Ingredientes:

- 4 huevos
- 1/4 taza (56 g) de salsa
- 1/4 taza (30 g) de queso cheddar bajo en grasa, rallado
- 8 tortillas de maíz

Instrucciones:

1. Cuando esté listo, agregue la salsa y mezcle el queso hasta arriba. Espolvoree el aceite en algunas tortillas y luego coloque algunas en número par en los bordes de las tortillas.
2. Toma la bandeja para hornear. Divida la mezcla de huevo entre las tortillas. Con el aceite por encima, cubra las tortillas restantes. Durante 3 minutos o antes de que se pongan doradas, asa las quesadillas por cada lado.

125. 4.3. Sándwich de desayuno de California

(Listo en 30 minutos, porciones: 6, dificultad: fácil)

Ingredientes:

- 1/2 taza (90 g) de tomate picado
- 1/2 taza (60 g) de queso cheddar rallado
- Seis muffins ingleses de trigo integral
- 2 onzas (55 g) de champiñones, en rodajas
- Un aguacate, en rodajas
- 6 huevos
- 3/4 taza (120 g) de cebolla picada
- 1 cucharada. mantequilla sin sal

Instrucciones:

Batir los huevos juntos. Dore la cebolla en una sartén grande para horno o de lados altos. Pica el aguacate, los tomates y la cebolla y revuelve. Mézclalos. Cocine rápidamente hasta que esté casi cocido. Agrega la sal, el vinagre y el queso. Sirve con los muffins tostados ingleses.

126. 4.4. Keto Stromboli

(Listo en 45 minutos, porciones: 4, dificultad: normal)

Ingredientes:

- 4 onzas de jamón
- 4 onzas de queso cheddar
- Sal y pimienta
- 4 cucharadas de harina de almendra
- 1¼ taza de queso mozzarella rallado
- 1 cucharadita de condimento italiano
- 3 cucharadas de harina de coco
- Un huevo

Instrucciones:

1. Para evitar que se queme, revuelva el queso mozzarella en el microondas durante 1 minuto más o menos.
2. Aplique la taza de queso mozzarella derretido, mezcle el vellón de coco, la pimienta y la sal homogéneamente. Luego agrega los huevos y vuelve a licuar por un rato después de enfriar.
3. Coloque la mezcla en la masa en forma de almohadilla y coloque la segunda capa encima. A través de sus manos o rodillo, aplánelo en un rectángulo.
4. Retire la hoja superior y use un cuchillo de mantequilla para dibujar líneas diagonales hacia el centro de la masa. Se pueden cortar a la mitad por un lado. Y corte puntos diagonales en el otro lado también.
5. En el borde de la masa se alternan lonjas de jamón y queso. Luego, doble por un lado y por el otro lado cubra el relleno.
6. Hornee durante 15-20 minutos a 226° C; colóquelo en una bandeja para hornear.

127. 4.5. Taza de pizza para amantes de la carne

(Listo en 26 minutos, porciones: 12, dificultad: fácil)

Ingredientes:

- 24 rodajas de pepperoni
- 1 taza de tocino cocido y desmenuzado
- 12 cucharadas de salsa de pizza sin azúcar
- 3 tazas de queso mozzarella rallado
- 12 lonchas de jamón deli
- 1 libra de salchicha italiana a granel

Instrucciones:

1. Precaliente el horno a 375º F (190 grados Celsius). Dore las salchichas italianas, remojadas en una cacerola con grasa extra.
2. Cubra las 12 tazas de molde para muffins con lonjas de jamón. Divídalo entre las 12 tazas con la salchicha, queso mozzarella, salsa para pizza y rodajas de pepperoni.
3. Hornee por 10 minutos a 375º F. Cocine por 1 minuto hasta que el queso reviente y las puntas de la carne se vean en los extremos, hasta que estén jugosas.
4. Disfruta el muffin y coloca las tazas de pizza para evitar mojarlas en toallas de papel. Enfríe y caliente rápidamente en el horno tostador o microondas.

128. 4.6. Sándwich De Pollo Keto

(Listo en 30 minutos, porciones: 2, dificultad: normal)

Ingredientes:

Para el Pan:

- 3 onzas de queso crema
- ⅛ cucharadita de salsa tártara con sal
- Polvo de ajo
- Tres huevos

Para el relleno:

- 1 cucharada de mayonesa
- Dos rebanadas de tocino
- 3 onzas de pollo
- 1 cucharadita de Sriracha
- 2 rebanadas de queso pepper jack
- 2 tomates uva
- ¼ de aguacate

Instrucciones:

1. Divida los huevos en varias tazas. Agregue la salsa tártara, la canela, luego bata a picos pronunciados las claras de huevo.
2. En otro bol, bata el queso crema. En una mezcla de clara de huevo, combine la mezcla con cuidado.
3. Coloque la masa sobre un papel y, como trozos de pan, haga pequeños cuadrados. Aplique el ajo en polvo y luego hornee durante 25 minutos a 148 ° C.
4. Mientras se hornea el pan, cocine el pollo y el tocino en una cacerola y sazone al gusto.
5. Retirar del horno y dejar enfriar cuando el pan esté terminado durante 10-15 minutos. Luego agregue mayonesa, Sriracha, tomates y puré de aguacate, y agregue pollo y tocino a su sándwich.

129. 4.7. Bocadillos de atún keto con aguacate

(Listo en 13 minutos, porciones: 8, dificultad: muy fácil)

Ingredientes:

- 10 onzas de atún enlatado escurrido
- ⅓ taza de harina de almendras
- ½ taza de aceite de coco
- ¼ de taza de mayonesa
- 1 aguacate
- ½ cucharadita de polvo de ajo
- ¼ de cucharadita de cebolla en polvo
- ¼ de taza de queso parmesano
- Sal y pimienta

Instrucciones:

1. Todos los ingredientes se mezclan en un plato (excepto el aceite de coco). Forme bolitas de harina de almendras y rellénelas.
2. Fríelos con aceite de coco (debe estar caliente) en una sartén a fuego medio hasta que se doren por todos lados.

130. 4.8. Ensalada verde Keto

(Lista en 10 minutos, porciones: 1, dificultad: fácil)

Ingredientes:

- 100 g de lechuga mixta
- 200 g de pepino
- 2 tallos de apio
- 1 cucharada de aceite de oliva
- Sal al gusto
- 1 cucharadita de vinagre de vino blanco o jugo de limón

Instrucciones:

1. Con las manos, enjuague y corte la lechuga.
2. Corte el pepino y el apio.
3. Combine todo.
4. Para el aderezo, agregue vinagre, sal y aceite.

131. 4.9. Enchiladas de desayuno

(Listo en 1 hora, para 8 personas, dificultad: normal)

Ingredientes:

- 12 onzas (340 g) de jamón, finamente picado
- Ocho tortillas de trigo integral
- 4 huevos
- 1 cucharada de harina
- 1/4 cucharadita de polvo de ajo
- 1 cucharadita de salsa tabasco
- 2 tazas (300 g) de pimiento verde picado
- 1 taza (160 g) de cebolla picada
- 2 1/2 taza (300 g) de queso cheddar rallado
- 2 tazas (475 ml) de leche descremada
- 1/2 taza (50 g) de cebolletas picadas

Instrucciones:

1. Precaliente el horno a 350° F (180° C). Combine el jamón, las cebolletas, el pimiento, los tomates y el queso. Aplique cinco cucharaditas de la mezcla a cada tortilla y enrolle.
2. En una sartén antiadherente de 30 x 18 x 5 cm (12 x 7 x 2 pulgadas). En una olla aparte, bata los huevos, la leche, el ajo y la salsa tabasco. Cocine durante 30 minutos con papel de aluminio, luego revise los últimos 10 minutos.

Tip: Sirva con una cucharada de crema agria, salsa y rodajas de aguacate.

132. 4.10. Batido keto de bayas mixtas

(Listo en 5 minutos, porciones: 4, dificultad: fácil)

Ingredientes:

- 2 cucharadas de colágeno de vainilla
- 1 taza de bayas mixtas congeladas
- 2 tazas de hielo
- 1/4 taza de fruta de monje en polvo con eritritol
- 1 taza de vainilla de leche de coco sin azúcar

Instrucciones:

1. En una licuadora de alta velocidad, combine todos los ingredientes.
2. Mezcle hasta que quede suave la mezcla.

133. 4.11. Batido rosa tropical bajo en carbohidratos

(Listo en 5 minutos, porciones: 1, dificultad: fácil)

Ingredientes:

- 1/2 fruta del dragón pequeña
- 1 cucharada de semillas de chia
- 1 cuña pequeña de Gallia, mielada
- 1/2 taza de leche de coco o crema batida espesa
- 1 cucharada de proteína de suero en polvo (vainilla o natural), o gelatina o clara de huevo en polvo.
- 3-6 gotas de extracto de *Stevia* u otros edulcorantes bajos en carbohidratos
- 1/2 taza de agua
- *Opcional:* algunos cubitos de hielo

Instrucciones:

1. Revise y coloque todos los componentes suavemente en un mezclador y enciéndalo. Antes o después de combinar esto, puedes aplicar el hielo.
2. Es posible incluir el fruto de un dragón blanco o rosado.
3. Servir.

134. 4.12. Batido de mantequilla de maní keto

(Listo en 1 minuto, porciones: 1, dificultad: muy fácil)

Ingredientes:

- 1/2 taza de leche de almendras
- 1 cucharada de mantequilla de maní
- 1 cucharada de polvo de cacao
- 1-2 cucharadas de mantequilla de maní en polvo
- 1/4 de aguacate
- 1 porción de *stevia* líquida
- 1/4 taza de hielo

Instrucciones:

1. Agregue todos los ingredientes menos el hielo y mezcle bien en un procesador de alimentos.
2. Aplique suficiente leche al batido para obtener la consistencia ideal. Agregue más hielo o mantequilla de maní molida para diluirlo.
3. Sírvelo en un vaso.

135. 4.13. Batido de crema y galletas keto en 5 minutos

(Listo en 5 minutos, porciones: 2, dificultad: fácil)

Ingredientes:

- 3/4 taza de crema batida espesa o leche de coco
- Dos cuadrados grandes de chocolate amargo rallado
- **Opcional:** cubitos congelados de leche de almendras / algunos cubitos de hielo
- 1 taza de leche de nueces o de almendras o de semillas sin azúcar
- 1 cucharadita de vainilla en polvo o extracto de vainilla sin azúcar
- 1-2 cucharaditas de eritritol en polvo, unas gotas de *stevia*
- 1/3 taza de nueces picadas
- 2 cucharadas de mantequilla de almendras, (semillas tostadas o de girasol)
- 2 cucharadas de crema de coco / crema batida para decorar

Instrucciones:

1. Coloque en una licuadora, mezcle todos los ingredientes (excepto la cobertura). Será más grueso a medida que bata.
2. Mezcle la crema batida con la cobertura por separado. Use 1/2 a 1 taza de leche para machacar. Deberías tener la crema batida en la nevera durante tres días.
3. Vierta un poco de agua en una botella. Rocíe las nueces y la mantequilla sobrantes sobre la leche.

136. 4.14. Batido de huevo keto

(Listo en 5 minutos, porciones: 1, dificultad: fácil)

Ingredientes:

- 1 huevo grande
- 1 cucharadita de eritritol
- 1/4 taza de crema batida (crema de coco sin lácteos)
- 1/2 cucharadita de canela

- 4 dientes de ajo molidos aprox. ¼ de cucharadita
- 1 cucharadita de jarabe de arce sin azúcar (opcional)

Instrucciones:

1. En una licuadora, combine todos los ingredientes y mezcle rápido durante 30 segundos - 1 min.

137. 4.15. Batido keto fácil

(Listo en 5 minutos, porciones: 2, dificultad: fácil)

Ingredientes:

- 4 huevos grandes
- 2 cucharadas de cacao en polvo negro o cacao en polvo holandés
- 1 1/2 tazas de leche de anacardo sin azúcar, leche de almendras o agua
- 4 cucharadas de mantequilla de almendras tostadas o mantequilla cetogénica
- 3 cucharadas de eritritol en polvo o *Swerve*
- 1/4 taza de crema batida
- 1/4 cucharadita de vainilla en polvo o 1/2 cucharadita de extracto de vainilla (sin azúcar)
- 1/2 taza de crema batida para decorar

Instrucciones:

1. Coloque la leche congelada o de anacardos / leche de almendras en una bandeja para cubitos de hielo y luego congélelos. En las condiciones adecuadas (lo que significa que no congele el batido), omita este paso y continúe con el siguiente.
2. Revuelva la crema en una tina de leche congelada. Para producir helado, agregue helado a la crema tibia.
3. Aplique las nueces remojadas, el edulcorante, el cacao en polvo y la vainilla al plato. Con macadamia, cacao, mandioca y MCT, estos aceites son agradables de usar con aceite MCT. Mezclar hasta que esté suave.
5. Aplique más crema batida antes de servir.

138. 4.16. Huevos cetogénicos a la florentina

(Listo en 55 minutos, porciones: 4, dificultad: normal)

Ingredientes:

- 1 cucharada de vinagre blanco
- 1 taza limpia de hojas de espinaca frescas
- 2 cucharadas de queso parmesano, finamente rallado
- 2 huevos
- Sal de mar y chile

Instrucciones:

1. Hierva las espinacas en un bol decente o cocine al vapor.
2. Espolvoree con queso parmesano al gusto.
3. Rompa y agregue el huevo en una bandeja y tápelo.
4. Cocine al vapor un baño de agua caliente, agregue el vinagre y mezcle en una olla con una cuchara de madera.
5. Coloque el huevo en el centro, dé vuelta y cubra hasta que cuaje (3-4 minutos). Repita para el segundo huevo.
6. Poner las espinacas con el huevo y beber.

139. 4.17. Coliflor (baja en carbohidratos, cetogénica)

(Listo en 20 minutos, porciones: 4, dificultad: fácil)

Ingredientes:

- 1 libra de coliflor
- 3 cucharadas de mantequilla
- 4 onzas de crema agria
- 1/4 cucharadita de polvo de ajo
- 1 taza de queso cheddar rallado
- 2 rebanadas de tocino desmenuzado y cocido
- 2 cucharadas de cebollín cortado
- Pimienta y sal al gusto

Instrucciones:

1. Pique la coliflor colóquela en una bandeja apta para un horno de microondas. Agregue dos cucharaditas de agua y cubra. Hornéala en el microondas durante 5-10 minutos hasta que esté completamente cocida y tierna. Vacía el exceso de agua, deja secar uno o dos minutos.
2. Agregue la coliflor al procesador de alimentos. Pulsar hasta que quede suave y cremoso. Mezcle el azúcar, el ajo en polvo y la crema agria. Presiónelo en una taza, luego espolvoree con más queso, luego mezcle. Agregue pimienta y sal.
3. Agregue el queso sobrante, el cebollín y el tocino a la coliflor. Coloca la coliflor a asar durante unos minutos en el microondas para derretir el queso.
4. Sirve y disfruta.

140. 4.18. Muslos crujientes

(Listo en 1 hora y 5 minutos, para 4 personas, dificultad: normal)

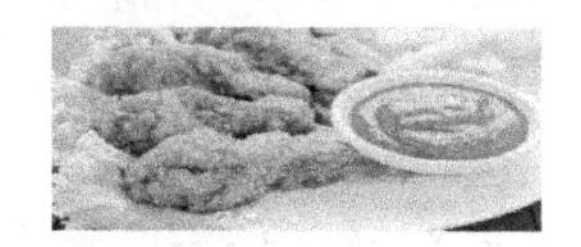

Ingredientes:

- Tomillo seco
- Aceite de oliva
- 10-12 muslos de pollo (preferiblemente orgánicos)
- Pimentón
- Sal marina
- Pimienta negra
- 4 cucharadas. Mantequilla o ghee de animales alimentados con pasto, derretida y dividida

Instrucciones:

1. Calienta el horno a 375º F.
2. Forre una bandeja con papel para hornear.
3. Sobre el papel, coloque los muslos.
4. Mezcle la mitad de la mantequilla derretida o ghee en aceite de oliva con los muslos.
5. Espolvoree el tomillo y los condimentos.
6. Hornee durante 30 minutos. Vacíe con cuidado la bandeja y cambie los muslos. Cuando los muslos se enfríen, vuelva a hacer una mezcla de tomillo y mantequilla.
7. Regrese al por otros 30 minutos (o hasta que esté finamente dorado y horneado externamente).

141. 4.18. Ganado herbal triturado

(Listo en 50 minutos, porciones: 4, dificultad: normal)

Ingredientes:

- 2 cucharadas de vino de arroz
- 1 cucharada de aceite de oliva
- 1 libra de pierna
- 2 chiles chipotle en salsa de adobo,
- 1 diente de ajo picado,
- Tomates maduros, pelados y en puré
- 1 cebolla amarilla
- 1/2 cucharada de mostaza fresca
- 1 taza de albahaca seca
- 1 taza de mejorana seca
- 1/4 de res cortado en tiras

- 2 chipotles medianos triturados
- 1 taza de caldo de huesos de res
- Sal de mesa y pimienta negra molida,
- Perejil, 2 cucharadas de cebollino nuevo, finamente picado

Instrucciones:

1. En un horno, cocine al vapor el aceite a fuego medio-alto. Cocine la carne continuamente durante seis a siete minutos. Agrega todos los ingredientes a la carne. Caliente y cocine por 40 minutos; agregue el resto a fuego moderado-bajo. Luego desgarra la carne.

142. 4.19. Sopa filipina nilaga

(Listo en 45 minutos, porciones: 4, dificultad: normal)

Ingredientes:

- 1 cucharadita de manteca
- 1 cucharada de patis (salsa de pescado)
- 1 libra de costillas de cerdo, deshuesadas y 1 chalota en rodajas finas
- Partir 2 dientes de ajo, picados
- 1 rebanada de (1/2) de jengibre fresco
- 1 taza de tomates frescos
- 1 taza de "maíz" en puré
- Coliflor
- Sal y ají verde, al gusto

Instrucciones:

1. Derrita la mantequilla en un bol a fuego medio/alto. Calentar las costillas de cerdo durante 5-6 minutos por ambos lados. Agrega la chalota, el ajo y el jengibre. Agrega ingredientes extra.
2. Cocine, tapado, de 30 a 35 minutos. Servir en recipientes diferentes.

143. 4.20. Mahi-Mahi de limón al ajo

(Listo en 30 minutos, porciones: 4, dificultad: normal)

Ingredientes:

- Sal kosher
- 4 (4 onzas) de filetes de mahi-mahi
- Pimienta negra
- 1 libra de espárragos
- 2 cucharadas de aceite de oliva extra virgen
- 1 limón
- Jugo de 1 limón y ralladura también
- 3 dientes de ajo
- ¼ de cucharadita de hojuelas de pimiento rojo triturado
- 3 cucharadas de mantequilla, dividida
- 1 cucharada de perejil recién picado, y más para decorar

Instrucciones:

1. Derretir una cucharada de mantequilla en una cacerola grande, luego agregue aceite. Sazone con sal y pimienta negra. Agregar y saltear el mahi-mahi. Cocine durante 5 minutos por cada lado. Transfiera a un plato.
2. Aplicar una cucharada de aceite a la cazuela. Cocine por 4 minutos. Sazone con sal y pimienta en una sartén.
3. Caliente la mantequilla en la sartén. Agregue el ajo y las hojuelas de pimienta y cocine a fuego lento hasta que esté fragante. Luego agregue la ralladura de limón, el jugo y Perejil. Rompa el mahi-mahi en trozos más pequeños, luego agregue los espárragos y la salsa.
4. Decore antes de comer.

Conclusiones

Un elemento importante a tener en cuenta es comer una excelente combinación de carne magra, verduras y carbohidratos sin procesar. La forma más eficaz de llevar una dieta equilibrada es simplemente consumir alimentos integrales, principalmente porque es una solución saludable. Es fundamental comprender que es imposible completar una dieta cetogénica.

Si eres una mujer mayor de 50 años, es posible que te interese mucho más la pérdida de peso. Muchas mujeres experimentan una disminución del metabolismo a esta edad a un ritmo de aproximadamente 50 calorías por día. Puede ser increíblemente difícil controlar el aumento de peso al desacelerar el metabolismo combinado con menos actividad, degradación muscular y la posibilidad de mayores antojos. Muchas opciones de alimentos pueden ayudar a las mujeres mayores de 50 años a perder peso y mantener hábitos saludables, pero la dieta cetogénica ha sido recientemente una de las más populares.

CPSIA information can be obtained
at www.ICGtesting.com
Printed in the USA
LVHW081154240321
682294LV00007B/575